La Havane

2e édition

Guides de voyage

ULYSSE

Le plaisir de **mieux voyager**

Recherche et rédaction
Pierre Loubier
Collaboration
Denis Faubert
Alexis de Gheldere
Carlos Soldevila

Éditrice
Jacqueline Grekin

Directeur de production
André Duchesne

Correcteur
Pierre Daveluy

Adjointe à l'édition
Isabelle Lalonde
Assistante
Julie Brodeur

Cartographe
Isabelle Lalonde

Infographiste
André Duchesne

Illustrateurs
Dominique Morin-Loubier
Lorette Pierson
Myriam Gagné

Photographes
Page couverture
Patrick Escudero
Pages intérieures
Patrick Escudero
Pierre Loubier

Directeur artistique
Patrick Farei (Atoll)

Nos bureaux

Canada: Les Guides de voyage Ulysse, 4176, rue St-Denis, Montréal (Québec) H2W 2M5, ☎(514) 843-9447 ou 1-877-542-7247, fax: (514) 843-9448, info@ulysse.ca, www.guidesulysse.com

Europe: Les Guides de voyage Ulysse SARL, 127, rue Amelot, 75011 Paris, France, ☎01 43 38 89 50, fax: 01 43 38 89 52, voyage@ulysse.ca, www.guidesulysse.com

États-Unis: Ulysses Travel Guides, 305 Madison Avenue, Suite 1166, New York, NY 10165, ☎1-877-542-7247, info@ulysses.ca, www.ulyssesguides.com

Nos distributeurs

Canada: Les Guides de voyage Ulysse, 4176, rue St-Denis, Montréal (Québec), H2W 2M5, ☎(514) 843-9882, poste 2232, ☎1-800-748-9171, fax: (514) 843-9448, www.guidesulysse.com, info@ulysse.ca

Belgique: Presses de Belgique, 117, boulevard de l'Europe, 1301 Wavre, ☎(010) 42 03 30, fax: (010) 42 03 52

France: Vivendi, 3, allée de la Seine, 94854 Ivry-sur-Seine Cedex, ☎01 49 59 10 10, fax: 01 49 59 10 72

Suisse: Havas Services Suisse, ☎(26) 460 80 60, fax: (26) 460 80 68

Pour tout autre pays, contactez Les Guides de voyage Ulysse (Montréal).

Données de catalogage avant publication (Canada) (Voir p 7).

© Guides de voyage Ulysse inc.
Tous droits réservés
Bibliothèque nationale du Québec
Dépôt légal - Deuxième trimestre 2003
ISBN 2-89464-524-4

Imprimé au Canada

Au temps où la métropole croyait que l'art de gouverner les colonies consistait à implanter quelques batteries de canons, on avait imaginé la construction des remparts de La Havane, ouvrage commencé au début du XVIIᵉ siècle et terminé quasi à la fin du XVIIIᵉ siècle. Les murailles faisaient partie d'une fortification plus vaste et complète, autant du côté de la terre que vers la mer et le port; elle était même pourvue de quatre portes vers la campagne, de poternes vers la mer, de ponts-levis, de douves larges et profondes, d'esplanades, d'arsenaux, de palissades, de meurtrières et de bastions crénelés; de sorte que la ville la plus peuplée de l'île était en fait transformée en une immense citadelle.

Cirilo Villaverde, *Cecilia Valdés*,
publié à La Havane en 1839

Sommaire

Liste des cartes

Légende des cartes

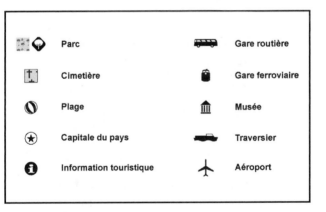

Parc		Gare routière	
Cimetière		Gare ferroviaire	
Plage		Musée	
Capitale du pays		Traversier	
Information touristique		Aéroport	

Tableau des symboles

≡	Air conditionné
🐋	Coup de cœur Ulysse pour les qualités particulières d'un établissement
C	Cuisinette
pc	Pension complète
pdj	Petit déjeuner inclus dans le prix de la chambre
≈	Piscine
ℝ	Réfrigérateur
ℜ	Restaurant
bc	Salle de bain commune
bp	Salle de bain privée (installations sanitaires complètes dans la chambre)
⇄	Télécopieur
☎	Téléphone
tv	Télévision
tvc	Télévision câblée
tlj	Tous les jours
⊗	Ventilateur

Classification des attraits

★	Intéressant
★★	Vaut le détour
★★★	À ne pas manquer

Classification de l'hébergement

Les tarifs mentionnés dans ce guide s'appliquent, sauf indication contraire, à une chambre standard pour deux personnes en haute saison.

$	20$ ou moins
$$	de 21$ à 40$
$$$	de 41$ à 80$
$$$$	de 81$ à 160$
$$$$$	plus de 160$

Classification des restaurants

Les tarifs mentionnés dans ce guide s'appliquent, sauf indication contraire, à un dîner pour une personne, excluant le service et les boissons.

$	moins de 12$
$$	de 12$ à 22$
$$$	plus de 22$

Tous les prix mentionnés dans ce guide sont en dollars américains.

Écrivez-nous

Tous les moyens possibles ont été pris pour que les renseignements contenus dans ce guide soient exacts au moment de mettre sous presse. Toutefois, des erreurs peuvent toujours se glisser, des omissions sont toujours possibles, des adresses peuvent disparaître, etc.; la responsabilité de l'éditeur ou des auteurs ne pourrait s'engager en cas de perte ou de dommage qui serait causé par une erreur ou une omission.

Nous apprécions au plus haut point vos commentaires, précisions et suggestions, qui permettent l'amélioration constante de nos publications. Il nous fera plaisir d'offrir un de nos guides aux auteurs des meilleures contributions. Écrivez-nous à l'adresse qui suit, et indiquez le titre qu'il vous plairait de recevoir.

Les Guides de voyage Ulysse
4176, rue Saint-Denis
Montréal (Québec)
Canada H2W 2M5
www.guidesulysse.com
texte@ulysse.ca

Remerciements

Les Guides de voyage Ulysse reconnaissent l'aide financière du gouvernement du Canada par l'entremise du Programme d'aide au développement de l'industrie de l'édition (PADIÉ) pour ses activités d'édition.

Les Guides de voyage Ulysse tiennent également à remercier le gouvernement du Québec – Programme de crédit d'impôt pour l'édition de livres – Gestion SODEC.

Données de catalogage

Soldevila, Carlos, 1969-
La Havane
2e éd.
(Guide de voyage Ulysse)
Comprend un index.
ISBN 2-89464-524-4

1. La Havane (Cuba) - Guides. I. Gheldere, Alexis de.
II. Titre. III. Collection.

F1799.H33S64 2003   917.291'240464   C2003-940018-2

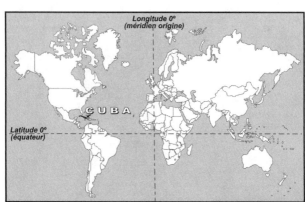

Longitude 0°
(méridien origine)

C U B A

Latitude 0°
(équateur)

Situation géographique dans le monde

CUBA
Capitale: La Havane
Langue: espagnol
Population: 11 225 000
Monnaie: peso cubain
Superficie: 110 922 km^2
LA HAVANE
Population: 2 200 000
Superficie: 727 km^2

Mexique

CUBA

République dominicaine

Haïti

Puerto Rico

Belize

Mer

Jamaïque

Honduras

des

Guatemala
El Salvador

Nicaragua

Caraïbes

Costa Rica
Panama

Venezuela

Océan
Pacifique

Colombie

©ULYSSE

Équateur

Pérou

Brésil

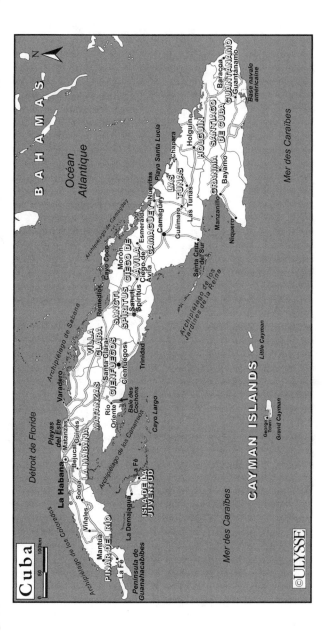

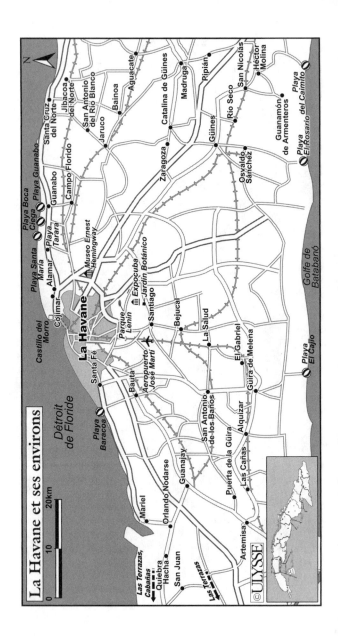

Portrait

L a première chose qui surprend lorsque l'on arrive à La Havane, c'est son urbanité. Non pas une urbanité factice, superficielle, mais une urbanité profondément ancrée dans ses murs, dans sa façon de vivre, dans sa population de plus de deux millions d'habitants.

L a Havane fut un temps, il ne faut pas l'oublier, la troisième ville des Amériques, juste derrière Lima et México, et elle a su garder les traces de sa grandeur passée.

L a position stratégique de La Havane, «porte du Nouveau Monde», et son intérieur riche et fertile, en ont fait un creuset de cultures donnant à la ville un charme insurpassable. La vieille ville (La Habana Vieja) rappelle la présence espagnole qui dirigea la destinée de l'île durant près de 400 ans. Le Vedado souligne la présence améri-caine dont les effets furent plus profonds qu'il n'y paraît. Et le rythme des Antilles transpire, se sent, se vit à travers sa population bigarrée dont l'âme noire a su trouver sa place. Le caractère, la fascination de La Havane viennent de l'amalgame de ces trois courants culturels qui ont atteint ici un équilibre tout à fait unique.

Et puis il y a plus. Comme si cela n'avait suffi, il y eut cette révolution qui mena la ville aux portes de l'histoire contemporaine et qui l'habille encore de nos jours d'une aura de mystère qui pousse à vouloir savoir, à vouloir comprendre.

Tous ces éléments font de La Havane une destination particulièrement riche. La Havane est plus que la somme de ses monuments, de ses palais, de ses forteresses, de ses promenades. C'est une ambiance, une atmosphère sur laquelle l'indifférence n'a pas prise.

Géographie

La Havane est située dans la partie occidentale de Cuba, la plus grande île des Antilles. Presque à la hauteur du tropique du Cancer, sur un des points les plus septentrionaux de l'île, elle se tient comme une sentinelle à l'entrée du détroit de Floride, État américain dont

elle n'est séparée que de 180 km, et moins de 500 km lui font toucher les côtes de la péninsule du Yucatán, au Mexique.

Considérée comme une des 14 provinces de l'archipel cubain, La Havane s'étend sur une superficie de 727 km^2. Elle est adossée à une ample baie qui a déterminé son développement sur un axe est-ouest en quartiers bien marqués par les mouvements de son histoire.

La Habana Vieja (la vieille ville), Centro Habana, le Vedado et Miramar, en front de mer, renferment la majorité des attraits culturels et touristiques de la capitale. Grâce à ses grandes artères et à sa trame de rues quadrillée à l'américaine, il est facile de s'y déplacer et de s'y orienter.

Histoire

Bien que l'on ait découvert près de La Havane des grottes contenant des vestiges d'occupation précolombienne, probablement d'Indiens ciboneys, l'histoire de la ville elle-même ne commence réellement qu'avec l'arrivée des Espagnols dans cette partie de l'archipel.

Période initiale

Au nombre des sept villes quasi mythiques fondées par Diego Velázquez en 1514, soit 22 ans après la découverte de l'île par Christophe Colomb, San Cristóbal de La Habana fut d'abord installée sur la côte sud de l'île, dans les environs de l'actuel port de Batabano. L'insalubrité du site, autant que le nouveau tour que prenaient les affaires de l'Empire avec la découverte du Mexique, persuadèrent les autorités de la nécessité de déplacer la colonie de l'autre côté de l'isthme. On opta alors pour la grande baie découverte par Sebastián de Ocampo, en 1508, lors de la première circumnavigation de l'île.

Brièvement assis près du Río Almedares, entre les Vedado et Miramar actuels, le petit établissement glissa bientôt un peu plus vers l'est, pour s'implanter définitivement à l'entrée de la rade, qui allait devenir, après quelques années d'un sort variable, le port le plus important et le mieux défendu de l'Empire espagnol. Au cœur de la cité originale, près de l'actuelle Plaza de Armas, on célébra une première messe le 17 décembre 1519.

Prééminence

La première vocation de La Havane serait fonction de sa géographie. Sa position tout près du golfe du Mexique et son remarquable port naturel allaient rapidement attirer l'attention des autorités espagnoles. De simple base logistique pour la conquête du continent, conquête à laquelle elle sacrifia ses premiers efforts, elle prit un caractère résolument militaire à partir du moment où les richesses du Nouveau Monde commencèrent à affluer vers l'Europe.

Ce port naturel étant la dernière rade d'importance avant la longue traversée de l'Atlantique, les bâtiments espagnols virent vite l'habitude de s'y arrêter pour faire provision avant de se laisser happer par le Gulf Stream. D'abord trafic sans forme, les attaques répétées des pirates, qu'attiraient les trésors entassés au fond des cales des galions, obligèrent à une certaine coordination des effectifs. C'est ainsi que prit naissance le système de convois qui allait donner à la ville son rythme pour de nombreuses années à venir.

Institutionnalisés à partir de 1561, les convois s'organisèrent autour des deux grandes flottes de l'Atlantique, celles du Mexique et du

Les convois

Les voies qu'empruntaient les navires espagnols faisant route entre le Nouveau et l'Ancien Monde étaient déjà bien dessinées au milieu du XVI° siècle. Tenant compte des courants et des vents dominants, elles étaient rigoureusement définies (voir carte).

C'est cette grande prédictibilité qui rendait si vulnérable les vaisseaux de la flotte espagnole. L'idée de regrouper les bâtiments et de les faire escorter par des galions armés découla naturellement de ce constat. L'organisation en convois semble d'ailleurs avoir été remarquablement efficace. À deux reprises seulement, ce système se montra-t-il incapable de défendre les trésors de l'Empire: une fois en 1628, lorsqu'une flotte hollandaise de 31 vaisseaux s'empara de la flotte mexicaine de 20 navires juste au large de Matanzas, un peu à l'est de La Havane; et une autre fois, en 1656, lorsque des corsaires anglais capturèrent quelques bâtiments de la flotte du Pérou approchant le port espagnol de Cadix avant de se saisir de celle de la Nouvelle-Espagne qui s'était réfugiée dans les Açores.

Pérou, les célèbres *flottas*. Escortés par de puissants vaisseaux de guerre, les navires participants à ces convois se réunissaient chaque printemps dans le port de La Havane avant de se lancer à travers l'océan avec leur butin. Durant plus de six semaines, une activité frénétique s'emparait alors de la ville. Entretien des navires, fourniture de denrées et toute une panoplie de services connexes se multiplièrent pour répondre aux besoins des hommes et des bâtiments.

La ville prit forme grâce à cette industrie qui s'articulait autour du service de la flotte. Toute une population bigarrée aux intérêts convergents vint s'installer à demeure sur les pourtours

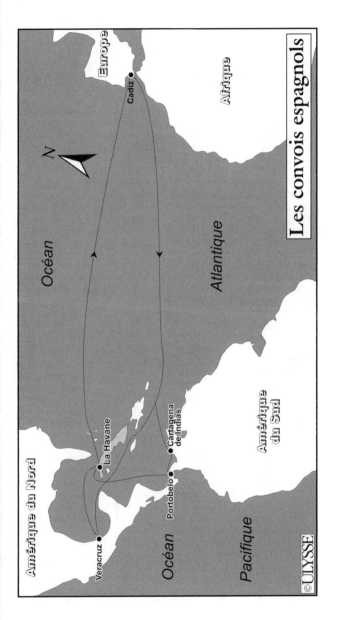

Les convois espagnols

de la grande baie. Les premières constructions à marquer le paysage havanais furent de bois, rien pour dissuader les pirates qui ne se gênèrent pas pour venir attaquer les navires amarrés dans le port. À deux reprises, en 1538 puis en 1555, la ville fut même livrée aux flammes, victime de sa notoriété. Mais cela changea au moment où l'Espagne fut consciente de l'importance stratégique de La Havane et de son port. Dès cet instant, la métropole s'employa à lui donner des fortifications à la mesure du rôle qu'elle venait de lui attribuer: celui de «forteresse des Indes», de gardienne du golfe du Mexique et des principales voies de communication entre le Nouveau et l'Ancien Monde.

Galion

Les premières constructions de pierre furent résolument de caractère défensif. Le château de La Fuerza, terminé en 1577, puis, de part et d'autre de l'étroite entrée de la baie, les forts de La Punta et El Morro, commencés tous deux 20 ans plus tard, avaient pour mission de protéger la ville et son havre. Jusqu'en 1674, lorsque l'on acheva d'ériger

un rempart autour de la ville, l'allure martiale de La Havane se fit de plus en plus évidente.

L'importance qu'accorda la métropole à La Havane assura bientôt à celle-ci la prééminence sur l'ensemble de l'archipel cubain. Dès 1556, elle remplaça Santiago de Cuba comme siège de la Capitainerie générale et, en 1607, elle fut promue au rang de capitale de la colonie. Cette concentration des pouvoirs sera du reste grandement renforcée par la politique mercantiliste de la métropole, qui accordera à la ville le privilège exclusif de tout commerce avec l'Espagne.

C'est ainsi qu'au tournant du XVIIIe siècle près de la moitié des 20 000 habitants que compte alors Cuba réside à La Havane. Ville sans raffinement, qui impressionne plus par son caractère militaire que par son élégance, elle a néanmoins réussi à s'imposer comme centre politique et commercial de l'île. Simple annexe de la vice-royauté du Mexique, son existence est alors intimement liée à celle de l'Empire dont elle tire subsistance et protection. Elle ne renierait jamais ses origines, quitte à se mettre à dos le reste de la colonie.

Divergences

L'approvisionnement des armadas donna à l'agriculture locale son débouché initial. D'abord axée sur les denrées alimentaires de première nécessité, celle-ci se développa bientôt en une production plus spécialisée répondant à la demande de marchés débordant le cadre de l'île. Le tabac, le café et le sucre commencèrent à s'imposer comme source de revenus indépendante des exigences spécifiques de l'Empire. Une nouvelle classe de producteurs, à majorité créole (descendants d'Espagnols nés à Cuba), se développa rapidement sur cette base, révélant des intérêts propres.

Alors que les terres s'étendant de La Havane vers l'arrière-pays étaient systématiquement mises en culture et que les revenus qu'on en tirait donnaient à la colonie un certain essor, la métropole décida de resserrer ses politiques mercantiles lâchement appliquées jusqu'à ce jour. En effet, ayant flairé la manne, l'Espagne des Bourbons s'engagea à partir de 1700 dans une voie qui allait soulever l'indignation des planteurs.

En 1717 fut instaurée la Factoría de Tabacos, qui instituait un monopole impérial sur le commerce du tabac, alors première source d'échanges pour la colonie. Dès lors, il fallut vendre sa production à des agents mandatés et à des prix préétablis. Un système de quotas fut mis en place pour garantir la valeur des produits sur les marchés européens en limitant la production, ce qui eut un effet funeste sur l'industrie naissante.

La Havane étant le centre administratif de l'île, c'est par elle que Séville fit appliquer ses directives. Sa soumission aux impératifs de l'Empire devenait flagrante, tout comme les profits qu'elle tirait de la situation. Les *peninsulares*, Espagnols à la solde de la métropole ou marchands détenant des licences de commerce, s'enrichirent par ce système qui dirigeait les ressources de la colonie entre leurs mains. Ils s'établirent en une classe dominante qui, de la ville, défendit farouchement ses prérogatives.

C'est donc contre La Havane, cette ville qui s'élevait contre leurs intérêts, que marchèrent au mois d'août 1717 plus de 500 producteurs de tabac, les *vegueros*.

Bien armés, ceux-ci imposè-
rent la suspension des opérations de la Factoría de
Tabacos et forcèrent la démission du gouverneur gé-
néral de la colonie. La victoire des Créoles sur la métropole fut de courte durée.

Après avoir renforcé la gar-
nison, l'Espagne réinstalla la
Factoría de Tabacos, qui
reprit ses activités en 1720.
Dans les années qui sui-
virent, les *vegueros* reprirent
deux fois les armes pour
s'opposer à l'application
des politiques monopolisti-
ques. La seconde fois, les
fermiers étaient attendus. Le
gouverneur général lança la
milice sur les producteurs
désemparés. Nombre d'en-
tre eux perdirent la vie durant les combats ou furent
exécutés dans les semaines
qui suivirent.

Victorieuse, la métropole
étendit bientôt le monopole
impérial à l'ensemble des
produits de l'île avec l'installation de la Real Com-
pañía de Comercio en 1740.
Le ton était donné. La Havane commerçante s'oppo-
serait dès lors à la colonie
productrice. Un événement
imprévu vint aplanir les
différences pour quelque
temps, mais la rivalité entre
les intérêts de la ville et
ceux de l'intérieur souligne-
rait alors l'histoire de la
colonie comme un substrat
ineffaçable.

Libéralisation

En 1756, la guerre hégémonique que se livraient les
puissances européennes
débordait de son cadre
naturel. La guerre de Sept
Ans (1756-1763) entraîna les
Amériques dans un conflit
lourd de conséquences.
Lorsque l'Espagne, malen-
contreusement, se joignit à
la France dans sa lutte contre l'Angleterre, elle provoqua une attaque anglaise
sur La Havane qui en changea irrémédiablement le
visage.

Les Anglais, après deux
mois d'acharnement, fini-
rent par provoquer la reddition de la ville le 14 août
1762. Durant près d'une
année, ils s'y retranchèrent,
jusqu'à ce que le gouvernement britannique accepte
de remettre l'île aux mains
de l'Espagne en échange de
la Floride. En ces quelques
mois d'occupation, le système régissant le commerce
de la colonie fut complètement revu.

Les Anglais, défenseurs du
libre-échange, jetèrent à bas
toutes les restrictions sur la
circulation des biens. Il
s'ensuivit une période d'in-
tense activité dont les marchands havanais furent les
premiers à profiter. De l'Angleterre et des 13 colonies
nord-américaines arrivèrent
des marchandises jusque-là

introuvables ou hors de prix. Céréales, outils, machinerie agricole, esclaves, la demande semblait insatiable. En 10 mois, plus de 1 000 navires vinrent jeter l'ancre dans la baie de La Havane.

Mais il n'y avait pas que la demande. L'occupation anglaise ouvrit aussi aux produits de la colonie un immense marché qui stimula la culture des produits d'exportation. Café, sucre, tabac, cuir, tous ces produits se retrouvèrent sur les marchés libres à des conditions plus avantageuses que jamais auparavant. La production fit un bond prodigieux, aidé par l'importation d'une main-d'œuvre servile dont elle était de plus en plus dépendante.

Il ne fut évidemment pas question de revenir en arrière lorsque l'Espagne eut repris possession de l'île. D'ailleurs, l'Empire lui-même était en pleine mutation. Le nouveau roi, Charles III, libéral dans l'âme, fit abolir les monopoles et revoir le système de taxation pour les produits coloniaux. La Havane obtint en 1765 le droit de commercer avec six autres villes de la péninsule ibérique, puis avec la majorité des ports des Antilles espagnoles. Cette dérégulation provoqua évidemment le démantèlement du système de

convois qui avait donné à la ville son rôle au sein de l'Empire, mais qui n'était plus qu'un vestige restrictif d'une époque révolue. La Havane entrait dans le réseau des échanges internationaux. L'accroissement du commerce qui suivit la prise de La Havane par les forces anglaises l'aida à asseoir sa prépondérance sur l'intérieur fertile de l'île en soulignant son caractère d'intermédiaire. Alors que Cuba s'apprêtait à entrer dans une période d'opulence, La Havane était bien placée pour en tirer un maximum de dividendes.

Âge d'or

Deux événements importants de la fin du XVIIIe siècle eurent sur La Havane des conséquences extrêmement importantes. D'abord, la révolte des colonies anglaises de ce qui allait devenir les États-Unis d'Amérique (1776), qui donna à Cuba un marché en plein essor. Relayant les colonies anglaises des Antilles dans les échanges de produits tropicaux avec les dissidentes, ce commerce atteignit de telles proportions qu'il fallut penser à réaménager le port afin de lui permettre d'accueillir les quelque 200 navires en provenance des côtes nord-américaines qui se mirent à le fréquenter annuellement.

C'est toutefois la révolte des esclaves de Saint-Domingue en 1791 qui donna à Cuba la base de sa prospérité. La destruction de l'infrastructure sucrière de cette colonie coupa du jour au lendemain l'Europe de sa source principale d'approvisionnement en sucre, en conséquence de quoi la demande et les prix grimpèrent en flèche. La colonie espagnole, qui n'était séparée de Saint-Domingue dans sa partie orientale que par un détroit de 65 km, accueillit aussi près de 30 000 colons français qui débarquèrent dans l'île avec leurs esclaves, leurs capitaux et leur expertise. Dans ces conditions, Cuba était prête à prendre la relève.

L'importation d'esclaves noirs s'amplifia, et la petite industrie sucrière qui avait pris forme à partir du milieu du XVIIe siècle, particulièrement autour de la capitale, augmenta sa production de façon vertigineuse. Les 100 pressoirs que comptait l'île au début des années 1700 se multiplièrent par 5 en 1792, puis par 10 en 1827, et enfin par 20 en 1868. En cette dernière année, la part du marché mondial du sucre de l'île était grimpée à près de 30%. La tyrannie du sucre prenait pied dans l'île.

La Havane profita démesurément de cette manne. Principale ville portuaire de l'île, elle était la seule à avoir l'infrastructure nécessaire à la manutention d'abondantes récoltes de sucre. Cette donnée concentra d'ailleurs le gros du développement de l'industrie aux environs immédiats de la ville, le long de la

Lion de bronze du Prado

côte, face à cette mer qui, jusqu'à la construction des premiers chemins de fer à partir de la fin des années 1830, demeurait pratiquement l'unique moyen d'acheminer la marchandise vers la capitale de l'archipel cubain. Le développement exceptionnel qui marqua toute cette période fit exploser de son enceinte, devenue trop étroite, le cœur de la ville. Sa croissance fut telle que les murs qui l'encerclaient durent être abattus pour lui permettre de s'étendre et de prendre ses aises. Regroupant plus de 44% de la population de la colonie, soit environ 125 000 personnes, La Havane comptait au tournant du XIXe siècle plus d'habitants que Boston, New York ou Philadelphie.

Bornée à l'est par sa grande baie, La Havane se déploya vers l'ouest avec un élan dont témoignent certaines de ses plus belles créations architecturales. À partir du Paseo del Prado, promenade qui devait concurrencer celle des plus grandes métropoles européennes, on créa une nouvelle ville qui s'accordait mieux aux aspirations d'une élite sûre de ses moyens. Les hôtels particuliers de cette nouvelle bourgeoisie, constituée principalement de grands propriétaires terriens et de riches commerçants, s'élevèrent avec ostentation autour du Parque Central, plaque tournante de la nouvelle Havane. L'éclairage public, les transports urbains, le téléphone, l'électricité, tout y prit place comme dans les plus modernes villes du monde. Mais les nouveaux airs de la ville ne pouvaient cacher les vieilles animosités.

Guerres d'indépendance

La prospérité qu'avait apportée le sucre n'avait pas eu que des effets heureux. La croissance économique que son exploitation avait permise finit par attiser les tensions entre la métropole et la colonie. Le cadre impérial se faisait étroit pour une large part de la population. Les Créoles, retranchés dans l'exploitation du sol par les politiques discriminatoires de la métropole, étaient de plus en plus assujettis par la monoculture aux marchés d'exportation sur lesquels ils n'avaient aucun contrôle.

Du mercantilisme d'antan, l'Espagne avait en effet conservé le pouvoir de jouer sur les tarifs de façon à promouvoir ses intérêts et à diriger une partie des profits dans ses coffres. Cette situation devint particulièrement vexante au cours de la seconde moitié du XIXe siècle, alors que les liens commerciaux unissant Cuba à l'Espagne s'amenuisaient et que ceux qui l'attachaient aux États-Unis s'affermissaient. Entre 1850 et 1877, les échanges avec ces derniers passèrent de 39% à 82% du total des activités commerciales de la colonie, alors que, dans la même période, ceux avec l'Espagne glissèrent de 27% à 6%. Il devenait difficile dans cette optique de justifier les politiques impériales qui freinaient le développement de la colonie et qui ne profitaient qu'à la mère patrie et à ses fils, les *peninsulares*.

Les demandes des Créoles se limitaient la plupart du temps à réclamer une représentation au sein du gouvernement espagnol et une réforme du système des taxes et des tarifs. Craignant que la cassure de l'association coloniale ne sonne le glas de l'esclavagisme, base de leur opulence, les Créoles se montraient en général plus réformistes que révolutionnaires. Durant plusieurs années, ils tentèrent de faire entendre leurs doléances de façon pacifique, mais ils ne rencontrèrent que mépris et incompréhension. Les Espagnols finirent par leur fermer définitivement les portes du palais du gouverneur, provoquant une radicalisation qui éclata bientôt en conflit armé.

Première tentative

La guerre de Dix Ans éclata en 1868, lorsque le planteur créole Carlos Manuel de Céspedes libéra ses esclaves et proclama l'indépendance de la colonie à partir de ses terres de l'Oriente, tout près de Bayamo. L'Espagne répondit promptement à la provocation en dépêchant dans l'île plus de 100 000 hommes de troupe pour faire face au plus important conflit colonial depuis les guerres de libération des colonies du continent. Cette guerre allait en 10 ans faire près de 250 000 morts et jeter l'économie du pays dans un marasme duquel il aura peine à sortir.

Dès la phase initiale du conflit, l'île se scinda en deux. Plus riches et plus dépendants du système esclavagiste, plus près de La Havane, avec laquelle ils entretenaient des liens étroits, les planteurs de l'Ouest craignaient que les politiques du gouvernement provisoire de Céspedes ne viennent jeter à bas leur mode de vie. Ils refusèrent de se joindre aux insurgés, sonnant ainsi le glas de cette première révolte contre la métropole.

L'Espagne s'empressa de jouer sur cette divergence entre les planteurs et circonscrit rapidement la menace qui pesait sur sa

Les martyrs de 1871

L'épisode qui marqua le plus La Havane à cette époque fut certainement l'exécution de huit étudiants en médecine accusés d'avoir défiguré la pierre tombale de Gonzalo Castañón, fondateur du journal *La Voz de Cuba*, organe des volontaires pro-espagnols. Sentence bien sévère qui marqua pour longtemps l'imagination des Cubains.

Un monument à la mémoire des étudiants a été édifié à l'est du Prado, au Parque Mártires del 71. Il a été construit avec les vestiges du mur contre lequel les victimes furent alignées puis fusillées.

domination. Pour ce faire, elle n'hésita d'ailleurs pas à couper littéralement Cuba en deux. Elle édifia entre Morón et Jucaro, à la hauteur de Ciego de Ávila, une ligne fortifiée, la *trocha*, qui traversait l'isthme de part et d'autre, séparant le bon grain de l'ivraie.

Alors que l'infrastructure sur laquelle reposait l'exploitation de la canne à sucre dans la partie orientale de l'archipel fut presque entièrement détruite, l'Ouest fut épargné, et La Havane demeura ainsi relativement peu touchée par le conflit. Centre du pouvoir espagnol, aux mains des *peninsulares* et des milliers de soldats qui y transitaient, la ville ne laissa pas le conflit troubler ses plus belles années. Elle continua de se parer de constructions magnifiques qui continuent d'émerveiller, ne faisant vent de ses sentiments qu'en quelques explosions brutales qui choquèrent par leurs excès.

Seconde tentative

L'Oriente ravagé, l'Espagne mit fin au conflit en 1878 en promettant de revoir le système politique et économique de la colonie. L'accord d'El Zanjón instaura pourtant bien une paix si précaire que les difficultés économiques de l'île allaient promptement remettre en question.

La guerre avait entraîné une perte de marché pour la colonie à un moment inopportun. Alors que l'on se battait à Cuba, de nouvelles sources d'approvisionnement en sucre faisaient leur apparition. L'Amérique latine devenait productrice à grande échelle, et l'Europe elle-même se lançait dans l'aventure grâce à la culture de la betterave à sucre. Les prix baissèrent, et l'économie cubaine s'effondra. La dépression qui s'ensuivit fournit une toile de fond propice à un second soulèvement contre la métropole.

La seconde guerre d'indépendance fut lancée au début de l'année 1895 sous l'autorité d'un intellectuel ubain du nom de José Martí. Figure éminemment respectée par toute l'Amérique espagnole, cet *Habanero* qui passa pratiquement toute sa vie d'adulte en exil donna à l'insurrection son cadre idéologique et sa cohésion. Martí ayant été abattu lors de l'un des premiers affrontements, le prestige de celui que l'on surnomma «l'apôtre de l'indépendance» fut tel que sa seule mémoire rallia une majorité de Cubains aux idéaux de la révolte. Avec lui, le nationalisme cubain se dotait d'une pensée qui assurait sa pérennité.

Cette fois-ci, toute l'île s'enflamma. La révolte n'était plus uniquement l'affaire des planteurs. La petite bourgeoisie, le prolétariat urbain, la paysannerie, tout le petit peuple se sentit appelé par l'agitation. La guerre s'attaquait maintenant aux fondements même de la société cubaine.

Il fut bientôt clair que rien ne pourrait enrayer le mouvement et que l'Espagne perdait la guerre. Les *peninsulares*, qui s'étaient retranchés dans les limites de la ville, tentèrent désespérément de survivre à la tourmente, mais l'affolement prit le pas sur la raison. Alors que la métropole se préparait, fin 1897, à se désengager de ce conflit dans lequel elle s'enlisait, La Havane fut la scène d'un ultime sursaut loyaliste.

La destitution du général Weyler donna le signal du début de l'émeute. Le «boucher Weyler» était responsable de la politique de guerre à outrance et de l'établissement de ces camps de «reconcentration», les *reconcentrados*, dans lesquels périrent des milliers de civils cubains. Il était vu par plusieurs comme l'ultime défenseur de l'ordre impérial et de son intégrité. Dès l'annonce faite, les rues de la ville furent prises d'assaut par des militaires et des citoyens outrés par ce geste conciliant des autorités espagnoles. Le soulèvement atteignit une telle violence que les États-Unis, inquiets quant à la sécurité de leurs ressortissants et de leurs intérêts, dépêchèrent dans les eaux du port de la ville le cuirassé *U.S.S. Maine*. Personne n'eut pu prévoir les conséquences que cet acte allait avoir sur la présence espagnole à Cuba, non plus que sur les aspirations profondes des patriotes cubains.

L'entrée en jeu des États-Unis

Depuis quelque temps déjà, les États-Unis se tenaient prêts à intervenir. Ce qui se passait à Cuba intéressait au plus haut point Washington. En fait, ce qui se passait à Cuba avait toujours intéressé Washington au plus haut point. Encore une fois, la situation géographique de l'île la marquait de son sceau.

Jefferson lui-même, au lendemain de la guerre d'Indépendance américaine, avait affirmé que seule l'annexion de Cuba pourrait assurer la sécurité de la nouvelle nation en protégeant ses arrières. Et puis, dans les années 1820, dans la foulée du «Louisiana Purchase» (1803) et de l'achat de la Floride (1819), John Quincy Adams, alors secrétaire d'État, proposa sa théorie de la gravitation politique qui marqua l'histoire de la politique américano-cubaine pour le reste du siècle. Cette théorie stipulait qu'aussi vraie que la loi de la gravitation régissait le monde physique, une loi similaire régissait le monde politique, et que, comme la pomme arrachée de son arbre par la tempête ne pouvait tomber que vers le sol, l'île de Cuba, une fois détachée de l'Espagne, ne pourrait que glisser sous la coupe des États-Unis. Il n'y avait qu'à être patient et récolter le fruit à maturité. La destinée manifeste prenait ici toute son ampleur.

Mais tous les successeurs d'Adams n'avaient pas sa patience. À deux reprises, en 1848 puis en 1854, les États-Unis tentèrent d'acheter Cuba à l'Espagne. Cent millions, puis 130 millions de dollars furent offerts à l'Espagne, sans succès. On tabla aussi sur le sentiment annexioniste qui prenait forme parmi les membres de l'élite cubaine, allant jusqu'à appuyer certaines de ces velléités de conquêtes qui laissèrent quelques belles anecdotes d'un romantisme tout à fait d'époque, comme cette tentative trois fois renouvelée de Narciso López, père du drapeau cubain.

À partir du milieu du XIXe siècle, ce fut toutefois par l'entrée de capitaux que les

«Souvenez-vous du *Maine*»

Le *U.S.S. Maine*, sans être un des plus importants bâtiments de la marine des États-Unis, était l'un des deux premiers bâtiments de guerre à avoir été construit en acier et à être propulsé par la vapeur. Bien armé, c'était une véritable forteresse flottante avec ses 354 hommes d'équipages et officiers.

C'est ce navire que le président américain décida d'envoyer à La Havane le 24 janvier 1898, au lendemain des émeutes qui secouèrent la capitale cubaine. Il répondait ainsi aux appels pressants du consul américain, qui, depuis des mois déjà, demandait l'envoi d'un bâtiment de guerre dans le port de la ville pour protéger les intérêts qu'il représentait.

Le *U.S.S. Maine*, alors stationné dans les Keys au sud de la Floride, attendait depuis quelque temps de recevoir l'ordre d'appareiller. Une fois l'ordre reçu, il ne lui fallut que cinq heures pour traverser le détroit de Floride. À 9h, au matin du 25 janvier, le navire entrait dans la rade de La Havane pour une «visite de courtoisie».

Les autorités espagnoles jouèrent admirablement le jeu et évitèrent toute provocation. Les officiers du *Maine* furent traités avec tous les égards dus à leurs rangs, et les matelots eurent tout le loisir de descendre à terre. Sous le fini de ces civilités couvait pourtant une méfiance flagrante, et l'arrivée du *Maine* dans la rade de la capitale fut perçue comme une provocation.

Trois semaines passèrent sans incident. Et puis, à 21h40, dans la soirée du 15 février, il y eut dans le port deux explosions. Le *U.S.S. Maine* brûla durant plus de quatre heures avant d'aller reposer par 12 m de fond, amenant avec lui 260 hommes d'équipage et trois officiers. C'était le pire désastre de la marine américaine depuis les débuts de son histoire.

Jamais la responsabilité de cette tragédie ne fut imputée à qui que ce soit. Mais avant même que l'on n'ait pu se pencher sur la question, la presse étasunienne fit la manchette en incriminant l'Espagne. Le *New York Journal* de William Randolph Hearst se fit le porte-parole de toute la nation en réclamant l'entrée en guerre immédiate afin de venger cet affront. Aux cris de «Souvenez-vous du *Maine*», les États-Unis se jetèrent avec voracité sur tout ce qui restait du domaine colo-nial de la chancelante Espagne.

En 1925, les États-Unis inaugurèrent à La Havane un monument dédié aux victimes du *Maine* comme une ultime justification à leur présence sur le sol cubain. Symbole de la présence yankee, il fut sérieusement endommagé par les Havanais peu après la Révolution. L'aigle de bronze qui le surmontait peut être vu au Museo de la Revolución à La Havane.

États-Unis investirent l'île. Au lendemain de la première guerre d'indépendance, alors que les grandes exploitations de l'Oriente étaient abandonnées par leurs propriétaires incapables de relancer les cultures, les Étasuniens s'étaient empressés de prendre leur place. Achetées à rabais, ces propriétés allaient former le cœur de la prise de contrôle économique de l'île.

L'envoi du cuirassé *U.S.S. Maine* dans le port de La Havane répondait donc à un intérêt réel et persistant de la part des États-Unis.

D'autant plus que le peuple américain, gonflé à bloc par la presse depuis des mois, soutenait et encourageait la politique interventionniste de leur gouvernement.

C'est ainsi que, lorsque le 15 février 1898 le *U.S.S. Maine* fut détruit par une terrible explosion dans la baie de La Havane, personne ne manqua à l'appel. «Souvenez-vous du *Maine*» devint le cri de guerre d'une nation qui, depuis plusieurs semaines, n'attendait plus qu'une occasion pour manifester son indignation. Ainsi commença la «splendide petite guerre» qui allait assurer la mainmise des États-Unis sur Cuba pour plus d'un demi-siècle.

Mainmise

Il fallut à peine 113 jours aux États-Unis pour s'assurer de la victoire. Le 3 juillet, la flotte espagnole de l'Atlantique fut détruite devant la baie de Santiago de Cuba, mettant fin à ce conflit dont l'issue n'avait jamais fait de doute.

En accord avec les termes du traité de Paris signé le 10 décembre 1898, les Philippines, Puerto Rico et Guam furent annexés à la République nord-américaine. Le cas de Cuba était particulier. L'Espagne avait cédé ses droits sur l'île aux États-Unis, mais ceux-ci s'étaient eux-mêmes placés dans une situation difficile. Alors que le Congrès américain discutait de l'acte qui devait permettre l'envoi des forces armées à Cuba, un amendement lourd de conséquences fut proposé par le sénateur Teller du Colorado. Finalement inclus dans le texte final, cet amendement stipulait que les États-Unis d'Amérique reconnaissaient à Cuba le droit à l'indépendance, et il précisait que les troupes qui y étaient dépêchées seraient retirées dès qu'un gouvernement constitutionnelle-ment élu pourrait prendre les rênes de l'État.

La position étasunienne était donc délicate, mais jamais il ne fut question de céder purement et simplement aux Cubains cette île pour laquelle ils avaient combattu durant plus de 30 années. Lorsqu'eut lieu la cérémonie officielle de la reddition de l'Espagne, à l'été 1898, ce ne fut pas le drapeau cubain mais le drapeau américain qui fut hissé sur La Havane. Les combattants cubains ne furent pas même autorisés à entrer dans la capitale pour voir les soldats espagnols se diriger, pour la dernière fois après plus de 400 ans de domination, vers les quais de la rade.

Dès le 1er janvier 1899 commença une période d'occupation militaire qui devait durer trois ans. L'argument invoqué pour légitimer cet acte brutal: l'incapacité des Cubains à se gouverner eux-mêmes. Il n'y eut pas d'opposition sérieuse à cette prise en charge. La colonie était à bout de souffle. La guerre avait complètement ravagé l'île, et, les Espagnols embarqués, l'ennemi était plus difficile à déterminer. Cela ne durerait pas longtemps.

La politique de Washington à l'égard de Cuba prendrait forme avec ce symbole du néocolonialisme qu'est l'amendement Platt. Imposé au Congrès national élu en 1900 par les 5% de la population en droit de voter selon les normes imposées par Washington, puis inclus dans la Constitution cubaine de 1901 sous la menace d'une prolongation de l'occupation, l'amendement Platt consistait en huit clauses dont les plus importantes étaient les suivantes: limitation du droit de signer des traités avec des États indépendants ou à obtenir des emprunts internationaux; obligation pour Cuba de vendre ou de louer une partie de son territoire pour permettre l'établissement d'une base navale sous contrôle des États-Unis; faculté d'intervention militaire accordée à ces mêmes États-Unis pour la défense de ses intérêts ou pour la protection de la vie, de la propriété et des libertés individuelles des habitants de l'île.

Ce que tout cela signifiait était clair. Le général Leonard Wood, en charge du gouvernement d'occupation, le nota dans une lettre écrite au vice-président Roosevelt: *Il ne reste, évidemment, que peu ou plus du tout d'indépendance réelle à Cuba sous les termes de l'amendement Platt* [...]; *Cuba est totalement entre nos mains, et je crois qu'aucun gouvernement européen ne considérera qu'elle* [l'île de Cuba] *est autre chose qu'une dépendance des États-Unis.*

La portée de cet amendement n'échappa pas non plus au peuple cubain. Dès le lendemain de l'annonce de son contenu, La Havane se souleva. Réunions publiques, processions dans les rues de la ville, rassemblements de masse, personne n'était indifférent à ce qui venait de se passer. Les États-Unis avaient volé à Cuba son droit à l'autonomie. Durant près de 40 années, l'amendement Platt allait unir les insulaires en une opposition virulente et donner aux relations américano-cubaines un accent fielleux.

La République

Au mois de mai de l'année 1902, la force d'occupation céda finalement l'administration de l'île aux Cubains, et Tomás Estrada Palma, un quaker qui vécut 20 années aux États-Unis, où il exerça le métier d'instituteur, devint le premier président de la république de Cuba. Mais c'était d'une république ruinée par la guerre et limitée dans ses prérogatives qu'héritait Palma.

Les premiers actes du gouvernement cubain ne furent d'ailleurs pas de nature à réjouir les autonomistes. En 1903, Guantanamo fut cédé aux États-Unis, qui y installèrent une base navale. Dans la même veine, l'amendement Platt fut enchâssé dans un «traité permanent» qui unit les deux pays par des liens étroits. Et puis, comme si cela ne suffisait pas, un traité de réciprocité commerciale vint assurer la mainmise économique des États-Unis sur tous les échanges de l'île par l'application d'une série de tarifs préférentiels.

De l'ensemble de ces initiatives découla un vaste mouvement de capitaux étasuniens qui balaya l'île d'un bout à l'autre. Le droit d'intervention que consacrait l'amendement Platt devint une forme de garantie pour la protection des investissements, et l'on montra à trois reprises (1906-1909, 1912, 1917-1922) que ce n'était pas là lettre morte. L'industrie du tabac, les travaux d'infrastructure, les mines, les services publics, aucun secteur d'activité ne fut épargné. Mais c'est encore le sucre qui marqua le pas, si bien qu'en 1914 environ 35% du sucre produit à Cuba sortait des moulins étasuniens installés dans l'île, et que ce pourcentage passa à 63% en 1926. On estime que, déjà en 1905, plus de 60% de la totalité des terres agricoles du pays appartenaient à des citoyens ou à des corporations étasuniennes.

Tout cela eut pour effet d'isoler complètement La Havane, de la couper de sa base économique. Les ressources de son propre territoire lui échappaient, tout comme le commerce qui fut longtemps son apanage. Il ne resta bientôt plus qu'un seul champ d'action qui ne fut hors d'atteinte pour les Cubains: la politique. Elle devint l'objet de toutes les ambitions.

Loin des véritables sources du pouvoir, pantins aux mains de Washington, les politiciens devinrent de redoutables prévaricateurs. La corruption s'installa avec un sans-gêne navrant à tous les ordres de gouvernement. La violence vint rapidement engoncer tout le processus.

Il aurait été bien surprenant dans ces conditions que les Havanais ne deviennent complètement désabusés quant au sérieux de leurs institutions politiques. Les trois présidents qui se succédèrent à la tête de l'État cubain à la suite de l'intervention américaine de 1906, José Miguel Gómez, Mario García Menocal et Alfredo Zayas, ne firent d'ailleurs rien pour aider la cause. Une opposition musclée vint rapidement donner forme au mécontentement des Cubains, opposition qui se fit plus pressante à partir de 1920, alors qu'une terrible crise économique vint s'abattre sur le pays. La période dite des «vaches maigres» jeta la misère parmi toutes les classes de la société, mais plus spécialement parmi les ouvriers de la capitale. Grèves et attentats se multiplièrent, et la répression se fit plus acharnée. L'élection de Machado en 1924 allait pousser les choses à leur paroxysme.

Gerardo Machado, ancien général et vice-président de l'Electric Bond and Share Company, société américaine, allait tomber sur la ville comme la peste noire. Dès son accession à la présidence, il lança une vague d'assassinats qui provoqua une coalition de toutes les forces hostiles au régime. L'université de La Havane se transforma en bastion de la lutte contre Machado, et elle en accusa les contrecoups. Occupée à plusieurs reprises par les militaires, puis simplement fermée en 1930, elle réussit néanmoins à canaliser le mécontentement populaire en un mouvement véritablement national qui arriva à ses fins.

Du moment où fut abattu par la police de Machado le dirigeant universitaire Rafael Trejo, en 1930, les heures du dictateur étaient comptées. La vigueur de l'opposition s'affirma dès lors avec un tel consensus que les États-Unis se virent contraints, en 1933, de signifier leur mécontentement à l'égard de leur protégé. Espérant arriver à se garantir le choix d'un successeur, les Américains tentèrent de négocier la reddition du président. Ils furent pris de vitesse. Une grève générale et une révolte de certains officiers de l'armée, à laquelle on donna le nom de «révolution des sergents», eurent raison de Machado, qui quitta précipitamment le pays le 12 août 1933, laissant derrière lui le plus complet désordre.

Alors que la ville basculait dans le cauchemar, un gouvernement provisoire se constitua sous la présidence de Ramón Grau San Martín, professeur à l'université de La Havane. Celui-ci institua promptement une série de mesures sociales hautement progressives, puis, sous le cri de «Cuba aux Cubains», il déclara unilatéralement l'abrogation de l'amendement Platt. Pour la première fois, le nationalisme cubain s'exprimait à travers les institutions politiques du pays et laissait voir sa hargne pour tout ce qui découlait de l'ingérence américaine. Washington n'apprécia pas.

Depuis quelque temps déjà, les États-Unis courtisaient un simple sergent du nom de Fulgencio Batista. Il s'était imposé comme l'homme fort du pays en prenant la tête des officiers rebelles durant la vague d'opposition au gouvernement de Machado. Sumner Wells, envoyé comme ambassadeur à La Havane au pire de la tempête, avait compris de quoi était fait l'homme. À la tête de l'armée, il avait été l'artisan de l'installation du gouvernement provisoire de Grau; sous la main de Washington, il devint l'artisan de sa suppression.

Débordement

Il n'avait pas été difficile de convaincre Batista. Wells n'avait eu qu'à l'assurer du support inconditionnel des États-Unis. Les bénéfices suivraient.

De 1934 à 1940, Batista, chef d'état-major soutenu par l'armée, gouverna par l'entremise de présidents fantoches à travers lesquels il dirigea une répression sévère. Il semblait pourtant ne pas avoir complètement renié les idéaux de la période du «gouvernement des cent jours» de San Martín. Lorsque, appuyé par la gauche ouvrière, il accéda à la présidence en 1940, il institua une nouvelle constitution qui, véritable modèle de vertus démocratiques, mit officiellement un terme à la révolution sociale des années 1930.

Batista fut pourtant battu aux élections de 1944 par son vieil ami Ramón Grau San Martín, qui, cette fois-ci, fut loin d'être à la hauteur des attentes profondes du peuple cubain. Son programme nationaliste tourna court, et son gouvernement versa dans une corruption sans bornes. Il en résulta une rechute du système politique dans les bas-fonds de la corruption et de la violence que son successeur, Prio Socarras, n'arriva pas à enrayer. Batista suivit cette dégringolade à partir de sa propriété de Daytona, en Floride. Il comprit avant longtemps qu'il était temps pour lui de revenir au pays. Élu sénateur *in absentia* en 1948, Fulgencio Batista revint au pays en 1949 afin de préparer le terrain pour l'élection présidentielle prévue pour 1952. Voyant que celle-ci risquait de ne pas lui être favorable, le 10 mars 1952 il renversa le gouvernement du président Prio Socarras par un coup d'État militaire et s'installa au Palais présidentiel, avec la bénédiction de Washington. L'entrée des blindés et des hommes de troupe dans la capitale n'avait pas soulevé beaucoup de protestations. Plusieurs crurent même que tout cela augurait un retour à la paix et au calme. Il en fut autrement. Sous des apparences parfois trompeuses, La Havane allait tomber dans tous les excès et se tailler une triste réputation.

Batista, de concert avec la mafia américaine, allait en effet faire de La Havane la capitale de la prostitution et du jeu dans les Caraïbes. Des milliers de touristes, majoritairement de la Floride, débarquèrent chaque année à Cuba, plusieurs descendant du *ferry* qui faisait la navette entre les deux pays plusieurs fois par semaine. En 1957, près de 350 000 étrangers visitèrent Cuba, presque autant qu'en 1991, et la majorité ne passa les limites de la ville que pour aller sur les plages de Varadero entre deux virées à La Havane. Les casinos, les maisons de jeux, les maisons closes (il y en aurait eu près de 300 à la fin des années 1950), satisfaisaient amplement une clientèle à la recherche de plaisirs illicites en leur pays.

L'alignement progressif de Cuba sur son voisin du Nord s'accéléra et devint palpable. Physiquement la ville changea. Elle se fit

plus américaine. Elle s'habilla de tours de béton, traça de grandes artères, nomma ses rues par des chiffres et des lettres, aménagea le Vedado en quartier moderne et construisit une série d'hôtels de luxe qui firent sa renommée. Il y avait toute une infrastructure à bâtir, et les pots-de-vin pouvaient s'avérer importants. Les investissements en dollars montèrent en flèche dans tous les secteurs de l'économie, et la corruption suivit la courbe.

Révolution

Tout cet argent qui se répandit sur la capitale ne profita toutefois qu'à quelques groupes d'individus bien placés qui s'empressèrent de transférer leurs profits à l'étranger. La disparité entre riches et pauvres était criante à La Havane, où plus de 5 000 mendiants hantaient les rues de la ville, qui comptait le plus grand nombre de Cadillac par habitant au monde. La disparité entre La Havane et le reste de l'île était encore plus frappante. À la campagne, les paysans vivaient dans des huttes, à même le sol, sans eau courante ni électricité. L'analphabétisme était rampant, tout comme le chômage.

Devant tant d'iniquités, Batista dut asseoir son pouvoir

sur des politiques de plus en plus répressives. En 1956, la suspension des garanties constitutionnelles et la censure de la presse couronnèrent son règne, mais n'arrivèrent pas à enrayer le mouvement de protestation qui s'était transformé en véritable guerre révolutionnaire. À la brutalité de la police spéciale du dictateur, le tristement célèbre Service d'intelligence militaire (le S.I.M.), des groupes armés répondirent par des gestes de plus en plus résolus. Et, en 1957, la population de La Havane fut surprise d'apprendre que José Antonio Echeverría, fondateur et commandant du Directoire étudiant révolutionnaire, s'était attaqué au Palais présidentiel, en plein cœur de la ville. L'homme y laissa sa vie et celle de plusieurs de ses compagnons, mais il avait montré que personne n'était plus à l'abri de représailles. Mais le coup de grâce allait venir de l'autre bout de l'île, de ces montagnes imprenables où s'était terré un groupe de rebelles à la tête duquel se détachait un géant barbu du nom de Fidel Castro.

Castro s'était d'abord fait connaître dans les jours qui avaient suivi le coup d'État militaire de mars 1952. Jeune avocat, il avait porté l'affaire devant les tribunaux, arguant de son illégalité.

Devant la tiédeur de la cour, l'avocat avait pris les armes, et, le 26 juillet 1953, avec un petit groupe de fidèles, il s'était attaqué à la caserne de Moncada, à Santiago de Cuba.

Fiasco sanglant qui avait mené à son arrestation et à sa condamnation à 15 années de prison, cette brave démonstration avait donné à Castro une notoriété dont il se montra digne. Libéré en 1955 sous une loi d'amnistie promulguée par un Batista fort de son élection à la présidence de l'État, il s'était enfui au Mexique pour préparer sa revanche. Il revint à Cuba à la fin de l'année suivante à la tête du Movimiento 26 de Julio (le M-26-7, qui compte 80 hommes en plus du célébrissime Che Guevara), nom donné en mémoire de l'assaut de 1953, puis, de la Sierra Maestra, dans le sud-est du pays, il lança une vaste opération de guérilla qui allait avoir raison de la dictature de La Havane.

À bout de nerfs, exaspéré par les coupures de courant, la destruction des récoltes de sucre, la baisse du tourisme et de ses retombées, Batista répondit en lançant sur les contreforts de la Sierra Maestra, au mois de mai de l'année 1958, une imposante offensive. Quelque 12 000 hommes de troupe, des blindés et des avions furent jetés sur les positions rebelles. Rien n'y fit, et l'échec de l'armée ne fit qu'accroître le prestige de Castro, qui dirigea alors ses *rebeldes* vers la capitale.

Le pays tout entier se rallia à lui. Une grève générale vint appuyer sa marche, et, le 8 janvier 1959, Fidel fit une entrée triomphale à La Havane. Une foule euphorique se répandit dans la ville à la nouvelle de la libération et de la fuite du dictateur réfugié depuis sept jours à Saint-Domingue. Le pays retrouvait sa dignité, mais à quel prix?

Réalignement

Après 1959, La Havane tombe un peu à l'arrière-plan de l'histoire cubaine. Les politiques gouvernementales renversèrent le mouvement qui avait depuis longtemps marqué la capitale de ses faveurs. Le développement national se fit moins inégal, répartissant la richesse de façon plus équilibrée.

Les premiers jours de la Révolution furent toutefois des journées extraordinaires pour les *Habaneros* qui, spontanément, se répandirent dans la ville et détruisirent à coups de haches et de bâtons les maisons de jeux et leurs instruments

pernicieux. Grâce à une série de mesures mises en place par le gouvernement révolutionnaire telles que l'augmentation des salaires, la diminution des coûts de l'électricité et du téléphone et la baisse des loyers, le pouvoir d'achat des citadins s'accrut sensiblement. Les cafés et les restaurants ne fermaient plus. Les rues de la ville grouillaient de promeneurs jour et nuit.

Mais il fallut aller plus loin. Il y eut une réforme du système de taxation et des tarifs, suivie d'une première réforme agraire qui brisait les *latifundias* et plaçait la production du sucre dans les mains des Cubains. Ces mesures agacèrent sérieusement les États-Unis, dont les intérêts étaient alors directement touchés. Vu la position hégémonique étasunienne, il n'était pas surprenant que les deux forces se heurtent de front. En 1959, les États-Unis contrôlaient 80% des services publics (électricité, téléphone), 100% des raffineries de pétrole, 90% des mines, l'ensemble des banques, 50% des terres agricoles, près de 75% des importations et 70% des exportations, dont 90% des exportations de sucre. L'affrontement était inévitable.

Pris de vitesse, Washington réagit d'instinct. Elle joua sur le sucre. Eisenhower espérait qu'en supprimant les quotas accordés à Cuba il ramènerait le bon sens parmi les classes politiques du pays. L'effet fut contraire aux attentes. Castro répondit en lançant un vaste programme de nationalisation qui, en l'espace de trois mois, plaça sous juridiction cubaine les raffineries, les compagnies de téléphone et d'électricité, les banques, les chemins de fer, les installations portuaires, les hôtels, les cinémas, et tout ce qui était étasunien de près ou de loin. Puis ce fut l'escalade. L'allégresse fit place à l'anxiété, puis l'anxiété à la détermination.

En réponse à l'étatisation de leurs entreprises, les États-Unis décrétèrent un embargo sur tout le commerce avec Cuba. Les relations diplomatiques furent rompues, et on lança une vaste campagne de déstabilisation qui créa une véritable psychose de guerre et qui culmina avec le débarquement avorté de la baie des Cochons au mois d'avril 1961. Écrasée en moins de 72 heures, la tentative de renversement du régime ne fit qu'accroître le sentiment nationaliste qui soufflait dans l'île.

La crise des missiles

Poussé par ces actes belliqueux, le caractère socialiste de la Révolution cubaine s'affermit, tout comme les liens avec l'Union des républiques socialistes soviétiques (U.R.S.S.). Des accords commerciaux furent signés entre les deux pays, l'Union soviétique s'engageant à acheter du sucre cubain et à fournir l'île en pétrole brut. La structure des échanges entre les deux pays était ainsi assise pour les prochaines 30 années. Restait la menace d'intervention militaire. Moscou promit au nouveau régime un support matériel et technique qui se traduisit par la tentative de déploiement de missiles sur le territoire cubain. Le monde se retrouva pendant quelques jours au bord de la guerre atomique.

Fermement décidés à éviter la guerre, le président Kennedy et le premier ministre Khrouchtchev se mirent d'accord pour retirer leurs missiles respectifs de la Turquie et de Cuba. Le 28 octobre 1962, les États-Unis promirent de s'abstenir de toute nouvelle agression contre Cuba (promesse non tenue). Fidel Castro nourrira à partir de ce moment une amertume prudente envers l'U.R.S.S. Fidel avait en effet transformé La Havane en camp militaire et s'était préparé au pire, désormais convaincu que la révolution socialiste devait passer par une guerre ouverte avec les puissances capitalistes. *Patria o muerte.*

Mais le coup était donné. La Révolution s'était trouvé un protecteur doublé d'un mécène. Il restait à mettre en place la structure qui devait transformer Cuba en une république socialiste.

Socialisme d'État

Nous autres, avec notre Révolution, non seulement nous extirpons l'exploitation d'une nation par une autre nation, mais encore l'exploitation de certains hommes par d'autres hommes! Nous avons condamné l'exploitation de l'homme par l'homme! [...] Camarades ouvriers et paysans, voici la Révolution socialiste et démocratique des humbles, avec les humbles et pour les humbles. Et pour cette Révolution des humbles, par les humbles et pour les humbles, nous sommes disposés à donner notre vie.

C'est par ces mots que Fidel Castro annonça au monde, le 16 avril 1961, lors de la cérémonie des funérailles des victimes du bombardement américain sur l'aéroport de La Havane qui avait précédé le débarquement de la baie des Cochons, le caractère résolument socialiste de la Révolution. Cette même année, il lança un vaste programme d'alphabétisation dont les effets fu-

rent foudroyants. Puis son gouvernement tâcha de briser les liens à l'argent en élevant la gratuité au rang de devoir d'État: les transports en commun, l'éducation, le téléphone, les événements sportifs, les garderies, le système de santé, les soins dentaires, les services funéraires, etc., le tout gracieusement offert par la Révolution.

On amorça aussi un mouvement qui devait détacher Cuba de son asservissement à la culture du sucre, symbole de la sujétion du peuple cubain aux intérêts étrangers. Pour y arriver le gouvernement révolutionnaire proposa deux avenues: l'industrialisation et la diversification.

Ce fut plus difficile qu'il n'y paraissait. D'abord, l'exode de milliers de Cubains, fuyant devant la radicalisation de la Révolution, priva l'État d'un nombre important de cadres, d'administrateurs et de gestionnaires essentiels à l'élaboration et à l'application des programmes. Ensuite, l'embargo américain commença rapidement à faire sentir ses effets. Pièces de rechange, matériaux, denrées, tout commença à manquer. L'industrie tourna bientôt à vide, et l'approvisionnement en nourriture devint problématique. Il fallut imposer le rationnement, et

Portrait

l'on commença à apercevoir des files d'attente aux portes des magasins. Dès 1962, *la libreta* s'occupa d'assurer à la population le minimum vital.

Incapable d'avancer plus avant, il fallut revenir au seul article capable de générer le capital nécessaire à la restructuration de l'économie: le sucre. En 1964, Castro changea de cap. Un accord avec l'Union soviétique l'assura d'un cours préférentiel et stable pour les exportations de sucre, ce qui l'encouragea à lancer un ambitieux programme de production sucrière. Il plaça le prestige de la Révolution sur un projet de mégarécolte qui devait produire, en 1970, 10 millions de tonnes de sucre. Malgré l'enrégimentation de toute la population, ce fut un fiasco. On produisit bien huit millions et demi de tonnes, un record en soi, mais l'esprit national en prit un coup, tout comme l'économie du pays que cet effort massif avait complètement désarticulée.

Une importante remise en question suivit cette déconvenue. Castro offrit sa démission, se ressaisit, blâma la surcentralisation et l'ineptie des administrateurs pour l'échec de la *Zafra* de 1970 et les difficultés auxquelles faisait face la Révolution, puis proposa de transformer la défaite en victoire en lançant un important mouvement de décentralisation et de participation populaire. Cet effort culminerait avec la mise en place du Système de direction et de planification de l'économie, qui laissait une place plus large aux mécanismes du marché, et avec l'établissement d'une nouvelle constitution.

De peur d'un dérapage vers un capitalisme sauvage, effets de la corruption et de l'indiscipline des ouvriers et des paysans, le mouvement fut enrayé en 1986 avec la Campagne de rectification, qui voulait ramener la Révolution à ses premiers idéaux. Mais 1959 était déjà loin, et la flamme se montra difficile à rallumer.

À travers ces va-et-vient, la Révolution arriva toutefois à édifier un vaste programme de mesures sociales pour l'ensemble de la population. La santé et l'éducation gratuites furent les acquis les plus marquants de cette période. Mais plusieurs des réussites du socialisme cubain reposaient sur des bases économiques déficientes que des événements extérieurs allaient exposer.

La période spéciale

Le démantèlement de l'Union soviétique à partir

de 1989 eut des répercussions funestes dans l'île antillaise. L'économie cubaine s'effondra littéralement. La structure même des relations avec les pays du bloc de l'Est avait placé Cuba dans une position de vulnérabilité extrême qui ne lui laissait aucune marge de manœuvre et qui fut responsable de sa déconfiture.

En fait, au lendemain de la Révolution, La Havane n'avait pas vraiment eu le choix de ses partenaires économiques. Les États-Unis avaient si bien réussi à couper Cuba de son marché d'avant 1959, et des marchés alternatifs qu'auraient pu être ceux de l'Amérique latine, que l'État cubain s'était attaché à l'Union soviétique comme un naufragé à son flotteur. À tel point qu'entre 1959 et 1961, en deux ans à peine, les exportations de Cuba vers les pays socialistes étaient passées de 2,2% à 74% du total des exportations, et les importations de 0% à 70%. Et la tendance se maintint durant près de 30 années, si bien qu'en 1986 encore 86% des échanges passaient par le Comecon, marché commun des pays socialistes auquel Cuba avait adhéré en 1972.

Le commerce avec l'Union soviétique était toutefois de nature peu réaliste. Par un subside à peine voilé, Cuba vendait au pays du bloc socialiste du nickel, des agrumes, et surtout du sucre, à des prix largement au-dessus des prix du marché, en retour de quoi le pays recevait des engrais, des produits alimentaires, de l'équipement industriel, et plus spécifiquement du pétrole, à des prix largement au-dessous des prix du marché. Il en résulta une forme de mirage économique qui s'effacera finalement devant la dure réalité.

L'effondrement du bloc socialiste étala l'artifice aux yeux de tous. L'économie cubaine ne put survivre à la perte de ses marchés traditionnels, à la fin brutale des plans de collaboration économique, à la réduction criante de livraisons de combustible et de matières premières. Il s'ensuivit une désarticulation du système de production et des services ainsi qu'une brusque diminution du niveau de vie que les États-Unis vinrent confirmer en renforçant leur blocus, prêts à porter le coup de grâce.

Pour faire face à la catastrophe, La Havane annonça, le 1er octobre 1990, l'avènement de la «période spéciale en temps de paix», définie comme la période de temps nécessaire à la réorientation des relations économiques internationales et à la reconstruction du système de production national: cela se traduisit sur le terrain par un programme d'austérité aux conséquences graves pour l'ensemble de la population cubaine que la sévère réduction de la consommation et des activités industrielles, les coupures d'énergie draconiennes et la rationalisation de l'emploi laissèrent désemparée. L'État oublia ses idéaux socialistes, rationalisant ses dépenses, augmentant le prix des denrées non vitales, instaurant l'impôt, remettant en vigueur des tarifs pour des biens et des services jusque-là gratuits, encourageant la privatisation de plusieurs secteurs de l'économie. Cuba bascula dans le socialisme de marché.

Les années 1992-2002

L'effondrement de l'Union soviétique contraignit Cuba à réaligner sa politique extérieure. La guerre larvée entre Cuba et les États-Unis prit un nouveau tournant et mena à des chassés-croisés complexes. Face au durcissement de l'embargo américain signalé par la loi Torricelli de 1992, Cuba légalise pour ses citoyens, en 1993, la possession de dollars qui jusque-là n'étaient utilisés que par les touristes. Pendant que les États-Unis interdisent aux compagnies américaines et leurs filiales à travers le monde de commercer avec Cuba, le Canada et quelques pays d'Europe investissent dans des domaines lucratifs de l'économie cubaine, car, à partir de 1995, les investissements étrangers sont autorisés et encadrés par le gouvernement cubain.

Une première visite officielle de Fidel Castro à Paris marquera, en 1995, l'ouverture de son pays au monde. Malgré l'adoption en 1996 de la loi Helms-Burton, qui veut accentuer l'isolement, Fidel Castro sera reçu par le Vatican. Jean-Paul II acceptera de visiter Cuba en 1998, tandis que Castro visitera la Jamaïque, les Barbades, la Grenade et le Venezuela. La Havane, pour sa part, recevra le 9e Sommet des chefs d'État ibéro-américains ainsi que le Sommet Sud-Sud. La visite du président Putin de Russie viendra parachever les efforts diplomatiques cubains qui auront réussi, pour une huitième fois, à faire voter par l'Assemblée générale des Nations unies que les États-Unis lèvent leur embargo contre Cuba.

L'ouverture au monde privilégiera surtout les liens économiques, dont la première étape sera le développement des relations économiques et commerciales avec la Communauté du bassin des Caraïbes (Caricom).

Aux livraisons de pétrole vénézuélien proposées à des conditions avantageuses fait suite un protocole d'entente qui prévoit la modernisation de la raffinerie de Cienfuego. Face à la perspective de la Zone de libre-échange des Amériques (ZLEA) initiée par les États-Unis, Cuba appuie l'intégration régionale dans le cadre du Marché commun du sud de l'Amérique (Mercosur) et demande son adhésion à l'accord de Lomé liant l'Union européenne et les pays de l'Afrique, des Caraïbes et du Pacifique (ACP).

Fin 1999 et début 2000, un lamentable feuilleton démontrera la vieille haine qu'entretiennent les anti-castristes de Miami à l'égard du gouvernement cubain. L'affaire Elián González, dont la mère s'était noyée en tentant de gagner les États-Unis sur une embarcation de fortune, fait le tour du monde. Pendant sept mois, les deux parties se disputent la garde du gamin de six ans. Finalement, conformément à la loi, Elián fut rendu à son père venu le chercher à New York.

Cette histoire relancera les animosités. Lors du Sommet ibéro-américain qui se tenait au Panamá en 2000, une tentative d'attentat contre Fidel Castro est découverte. L'organisateur de

l'attentat, Luis Posada, déjà responsable en 1973 de l'attentat contre un avion de la Cubana ayant fait plus de 75 morts, sera arrêté, mais ne sera jamais extradé. En contrepartie, en 2001, cinq Cubains seront condamnés à Miami pour espionnage: ils avaient infiltré les organisations anti-castristes de Floride.

D'autre part, le *Líder* allumera un autre feu. En 2002, lors de la conférence de l'Organisation des Nations unies (ONU) tenue au Mexique sur l'aide au développement des pays du tiers-monde, Fidel Castro rappelle que le fossé entre pays riches et pays pauvres continue de se creuser depuis 20 ans et que la fortune des trois personnes les plus riches du monde, en l'occurrence des Étasuniens, représente le PIB des 48 pays les plus pauvres et que plus de 800 millions de personnes souffrent de la faim. Il crée un mini-scandale en quittant la réunion quelque quatre heures après son arrivée.

En 2002, l'ancien président des États-Unis, Jimmy Carter, s'adresse au peuple cubain en espagnol par le biais de la télévision d'État. Cette visite par le récipiendaire du prix Nobel de la paix (2002) s'avère le point culminant des initiatives diplomatiques entreprises

Rappel historique

1492	Christophe Colomb aborde dans l'île de Cuba.
1508	Sebastián de Ocampo fait le tour de l'île et aperçoit la grande baie de La Havane.
1514	Fondation de La Havane sur la côte sud de l'île.
1519	Installation de La Havane sur son site actuel.
1555	La ville est détruite par des corsaires français.
1556	La Capitainerie générale est installée à La Havane.
1564	Départ de la première des grandes flottes.
1589	Fortification de la ville.
1607	La Havane devient la capitale de l'île.
1674	Les remparts de la vieille ville sont terminés.
1700	Les Bourbon s'installent sur le trône d'Espagne.
1717	Mise en place du monopole sur le tabac.
1728	Fondation de l'université de La Havane.
1740	Établissement de la Real Compañía de Comercio.
1762	Les Anglais prennent la ville.
1789	Création de l'évêché de La Havane.
1791	Révolte des esclaves à Haïti.
1810	Début des guerres d'indépendance sur le continent.
1837	Premier chemin de fer reliant La Havane à son arrière pays.

1868	Début de la première guerre d'indépendance cubaine.
1895	Début de la seconde guerre d'indépendance.
1898	Guerre hispano-américaine.
1899	Commencement de l'occupation américaine.
1902	Naissance de la république de Cuba et première constitution du pays.
1906	Première intervention militaire des États-Unis.
1912	Seconde intervention.
1917	Troisième intervention.
1920	Une grave crise économique frappe l'île.
1924	Élection de Machado.
1933	«Gouvernement des cent jours» de Ramón Grau San Martín.
1940	Élection de Batista à la présidence et seconde constitution du pays.
1952	Coup d'État militaire de Batista.
1953	Castro attaque la caserne de Moncada.
1956	Castro revient de son exil au Mexique.
1959	Libération du pays par Castro et ses *rebeldes*.
1960	Programme de nationalisation cubain et embargo des États-Unis.
1961	Débarquement avorté de la baie des Cochons.
1962	Crise des missiles.
1964	Accords commerciaux avec l'Union soviétique.
1970	Échec de la grande Zafra.
1972	Adhésion de Cuba au Comecon.
1976	Troisième constitution cubaine.
1979	Sommet des pays non-alignés à La Havane.

1986   Campagne de rectification des erreurs et des tendances négatives.

1989   Effondrement du bloc communiste.

1990   Début de la «période spéciale en temps de paix».

1992   Renforcement de l'embargo américain par l'adoption de la loi Torricelli.

1993   Premières mesures visant l'ouverture de l'économie. Le gouvernement cubain légalise pour les habitants la possession de dollars.

1994   Exode massif de Cubains. Autorisation des marchés libres paysans.

1995   Les investissements étrangers sont autorisés, protégés et limités. Première visite officielle de Fidel Castro à Paris.

1996   Les États-Unis adoptent la loi Helms-Burton visant à isoler Cuba. Fidel Castro est reçu par le pape.

1997   Fidel Castro célèbre son 70ᵉ anniversaire. Translation de la dépouille du Che vers Santa Clara. Le 14ᵉ Festival de la jeunesse attire 11 000 jeunes étrangers.

1998   Jean-Paul II visite Cuba. Le gouvernement cubain libère 300 prisonniers. Allégement de l'embargo américain. Fidel Castro visite la Jamaïque, la Barbade, la Grenade et le Venezuela.

1999   Le 9ᵉ Sommet des chefs d'État ibéro- américains se tient à La Havane. Première élection de l'Assemblée nationale de Cuba par vote direct. L'Assemblée générale des Nations unies recommande, pour la septième année consécutive, que les États Unis lèvent leur embargo contre Cuba.

1999   L'affaire Elián González.

2000	Sommet Sud-Sud tenu à La Havane (plus de 130 délégués du Groupe des 77). Le président Putin de Russie visite La Havane. Tentative d'attentat contre Fidel Castro au Sommet ibéro-américain tenu au Panamá.
2001	Cinq Cubains sont condamnés à Miami pour espionnage, après avoir infiltré les organisations anti-castristes. L'ouragan Michelle ravage le centre du pays.
2002	L'ex-président américain Jimmy Carter (Prix Nobel de la paix) visite La Havane.

par le régime castriste depuis le début de la période spéciale en temps de paix. Elle illustre aussi le désaveu des éléments agressifs de la communauté cubaine de Miami par une partie de la classe politique américaine.

Malgré l'essor du secteur informel, malgré le développement du tourisme devenu depuis une décennie le moteur de l'économie, la plupart des Cubains souffrent de la situation économique. La restructuration des entreprises publiques, leur autonomie accrue, la diminution des subventions de l'État, l'utilisation croissante des mécanismes de marché confirment la poursuite lente et graduelle des réformes économiques. La situation reste précaire, car les réformes sont subordonnées

à l'impératif du contrôle des inégalités sociales croissantes, et surtout de la stabilité politique du régime.

La situation actuelle

L'élection de George W. Bush et les événements du 11 septembre 2001 ont changé à tout jamais les relations internationales des États-Unis d'Amérique avec le reste du monde. La guerre contre le terrorisme qu'entretiennent les États-Unis semble avoir relégué à l'arrière-plan, pour le moment, la lutte contre le régime socialiste cubain. Les relations entre les deux pays restent incertaines.

Sans contredit, la Révolution a joué un rôle déterminant dans l'histoire du peuple cubain. Elle est venue affirmer l'indépendance du pays face à son voisin du Nord, et Cuba demeure un phare pour ceux qui craignent la domination du géant américain. Mais le bras de fer entre les forces de la mondialisation et les tenants d'une distribution plus égalitaire de la richesse semble jouer en faveur d'une globalisation qui fait fi d'un développement économique et culturel propre à chaque nation.

À Cuba, peut-être plus qu'ailleurs, la situation interne demeure précaire. L'austérité de la vie quotidienne des Cubains, les contraintes financières qui entravent une reprise durable, l'augmentation des cours du pétrole, la chute des prix du sucre ainsi qu'un taux de chômage ou de sous-emploi de 25% font craindre le pire à tous ceux qui tiennent aux acquis de la Révolution.

Néanmoins, la vieille Havane et ses habitants, sa musique, ses voitures anciennes et ses palais coloniaux récemment restaurés créent pour le visiteur une atmosphère hors du temps rappelant que Cuba fut la porte d'entrée vers le Nouveau Monde.

Système politique

La Havane est le cœur politique de Cuba. Les édifices gouvernementaux et les agences politiques y sont regroupés autour de la Plaza de la Revolución.

Jusqu'en 1976, c'est par la «Loi fondamentale», inspirée de la Constitution de 1940, qu'est gouverné l'archipel. Cette année-là, une nouvelle constitution fut présentée au peuple cubain et approuvée par référendum.

Cuba se définit alors comme un État socialiste de type présidentiel. Le pouvoir législatif repose tout entier sur l'Assemblée nationale, alors que le pouvoir exécutif se trouve partagé entre le Conseil d'État, représentant l'organe législatif entre les sessions, et le Conseil des ministres.

Le Conseil des ministres est l'organe exécutif et administratif le plus important du pays. En théorie, il est responsable devant l'Assemblée nationale, mais comme celle-ci ne se réunit que deux fois par année, et ce, pour quelques jours seulement, son autorité ne peut être sérieusement contestée.

Au niveau local, la Constitution établit des Assemblées municipales, au nombre de

169, et des Assemblées provinciales, au nombre de 14.

Au départ, le système prévoyait que les membres des Assemblées municipales seraient choisis par voie de suffrage populaire et que les élus s'occuperaient alors de sélectionner les représentants pour les Assemblées provinciales, lesquels choisiraient à leur tour les députés de l'Assemblée nationale. Mais, en 1993, on simplifia le tout, en permettant que les délégués à l'Assemblée nationale soient directement désignés par les électeurs. Le processus démocratique s'en trouva légèrement renforcé.

Les députés de l'Assemblée nationale sont élus pour une période de cinq ans. L'opposition n'a pas le droit de présenter de candidats, mais les électeurs peuvent soit s'abstenir, soit rejeter le candidat inscrit sur le bulletin de vote.

La Constitution ne reconnaît qu'un seul parti politique, le Parti communiste cubain (PCC). Cela ne fait d'ailleurs que confirmer un état de fait puisque, depuis 1965, date de sa création, le PCC est le seul parti autorisé.

Le chef de l'État cubain a un droit de regard sur toute cette structure. Il préside au Conseil des ministres et au Conseil d'État, représente l'État et le gouvernement, dirige les politiques générales, supervise les opérations des ministères et des autres organismes administratifs, propose à l'Assemblée nationale les noms des personnes à être désignées au Conseil des ministres, ratifie les décrets, les lois et autres résolutions du Conseil d'État, et demeure à la tête des Forces armées de la Révolution. Fidel Castro occupe ce poste non électif.

Économie

Depuis le début des années 1990, Cuba traverse une période difficile. À la suite de la chute de l'Union soviétique et du bloc de l'Est, l'économie du pays s'est complètement effondrée, obligeant à une restructuration profonde des structures mêmes de l'État. Bien que théoriquement toujours à la recherche de cet idéal social qu'elle s'est donnée en 1959, la République cubaine glisse de plus en plus vers le capitalisme. Un étrange amalgame d'idéaux et de pragmatisme, le «socialisme de marché», tente de s'enraciner dans la grande île.

La «période spéciale en temps de paix» a provoqué une baisse soudaine du niveau de vie des Cubains et a obligé le gouvernement à agir promptement. Dépassé

Les marchés libres paysans

Les marchés libres paysans, les *agromercados*, ont vu le jour pour la première fois en 1980. Dans la vague de décentralisation et de restructuration qui marqua la fin des années 1970, le gouvernement avait permis l'établissement de ces marchés afin de répondre aux difficultés d'approvisionnement en denrées auxquelles faisait face la population, spécialement à La Havane.

Dans un premier temps, les fermes d'État furent converties en coopératives agricoles. On établit ensuite que, une fois les quotas de l'État atteints, les agriculteurs pourraient user de leurs surplus comme bon leur semblerait. Les prix seraient librement fixés, tout comme les choix de productions.

Dès 1982, les marchés libres paysans furent durement attaqués à cause des abus qu'ils engendrèrent. Prix exorbitants, profits démesurés et diversions des ressources de l'État forcèrent le gouvernement à intervenir et à régulariser leur fonctionnement. Il semble bien que cela ait eu peu d'effet puisque, au mois de mai de l'année 1986, ces marchés furent fermés de façon permanente pour les mêmes raisons. Les abus étaient alors tels que les *agromercados* devinrent l'une des cibles principales de la «campagne de rectification».

Finalement, ce n'est que depuis 1994, au pire de la pénurie alimentaire, que les marchés libres paysans purent rouvrir leurs portes. Les mêmes abus y sont toujours, mais que faire dès lors qu'il faut nourrir la population? Pour les Cubains les plus pauvres, ces marchés sont l'indice même de leur misère croissante et le symbole de ce capitalisme discriminatoire qui reprend position sur l'île du socialisme.

par les événements, l'État s'est désengagé d'une foule de services qui engorgeaient son administration et que le manque de moyens empêchait dès lors de soutenir. Afin de pallier les besoins les plus pressants, il a alors permis que l'embauche libre et la privatisation, d'abord appliquées dans les domaines de la construction et de l'alimentation, fussent étendues à une foule d'autres secteurs de l'économie.

Les pénuries de toute sorte vinrent aggraver la situation. La fin des accords avec les membres du Comecon avait coupé le pays de ses sources d'approvisionnement. Il lui fallut dès lors aller sur les marchés mondiaux pour se procurer les denrées nécessaires à sa survie, et les payer au prix fort. La quête des dollars fut estimée prioritaire par l'État. On commença par aller les chercher en s'attaquant à l'économie parallèle qui, depuis des années, fleurissait partout à Cuba. La décriminalisation de la possession des billets verts et l'ouverture de magasins en devises pénalisèrent durement une partie de la population en canalisant les produits, souvent de première nécessité, vers ces singuliers commerces, mais les dollars reprirent leur place dans l'économie du pays.

Cela n'était pourtant pas suffisant. On permit donc, en conformité avec la Constitution (art.16), l'établissement de corporations cubaines indépendantes de l'État et habilitées à fonctionner de façon autonome. Cubanacan, Cimex et Cubalse ne sont que quelques exemples parmi les quelque 500 entreprises cubaines qui, en 1992, s'autofinançaient dans le champ des échanges internationaux et pour lesquelles la profitabilité fut donnée comme critère de réussite.

Dans le même sens, pour pallier le manque de ressources et de capital, et pour relancer l'économie qui était au bord du gouffre, on ouvrit le pays aux capitaux étrangers. À partir de 1989, les associations économiques avec des partenaires étrangers se firent de plus en plus nombreuses. Afin de rassurer les investisseurs potentiels, on ajouta à l'article 23 de la Constitution un décret qui légitimait les corporations mixtes à condition que la part de l'État ne passe jamais sous la barre des 51%. Mais depuis, il apparaît que même cette limite a été abandonnée, et les investisseurs étrangers à Cuba n'ont maintenant que peu de restrictions à leurs opérations.

Portrait

C'est avec le tourisme que ce régime mixte a pris le plus d'ampleur. Cuba ayant décidé d'en faire la principale activité économique du pays, les investissements dans ce domaine ont atteint des niveaux inégalés, tout comme les recettes qui, en 1995, s'établirent à plus d'un milliard de dollars.

Les exportations demeurent un pan important de l'économie cubaine, et la substitution de nouveaux marchés à ceux d'avant 1990 va bon train. Le sucre et le nickel sont toujours les deux premiers produits d'exportation, sans oublier les agrumes. S'y ajoute maintenant une autre source importante de revenus pour l'État, soit la vente de sérums, de vaccins et de produits dérivés. La biotechnologie et l'industrie pharmaceutique sont présentement en plein essor, et l'on croit qu'ensemble elles se placeront bientôt au quatrième rang pour ce qui a trait aux rentrées d'argent, juste derrière le sucre, le nickel et le tourisme.

Depuis 1994, l'économie cubaine a subi un certain redressement dont profite directement La Havane. Son port reprend vie après des années de stagnation, et l'établissement de nouvelles compagnies apporte à la ville son lot de sièges sociaux et d'infrastructures administratives. La Havane est aussi l'une des huit zones visées par le développement touristique à grande échelle, ce qui lui garantit une part substantielle des investissements de l'État dans ce domaine. Capitale administrative, métropole touristique, premier centre industriel du pays, la ville retrouve lentement son rôle prédominant dans la grande île.

Population

La population de La Havane est d'environ 2,2 millions d'habitants, soit près du cinquième de la population totale de l'archipel. Comme dans le reste du pays, les Havanais comptent trois groupes principaux: les *Meztisos* ou Métis, les *Criollos* ou Créoles, descendants d'Européens nés dans l'île, et les *Morenos* ou Noirs purs. À ceux-là, il faut ajouter les quelques *Chinos* restants, arrivés de Chine et des Philippines à partir de la fin des années 1840, pour remplacer l'immigration des Noirs dont le commerce était devenu illégal. Bien qu'il serait faux de dire que tout racisme est exclus des relations entre ces divers groupes, il reste que les politiques de l'État cubain depuis la Révolution ont grandement atténué les différences.

La population de La Havane a connu sa plus forte augmentation dans les années de la République, alors que des milliers de paysans s'y sont installés pour fuir la misère des campagnes. Depuis la Révolution, l'exode rural s'est pratiquement arrêté, et la croissance démographique s'est à peu près stabilisée. Les politiques de l'État favorisant le développement de l'agriculture y sont pour beaucoup.

La langue des *Habaneros* est l'espagnol. Il n'y a pas à Cuba, et surtout pas dans la capitale, de patois comme à Haïti ou en Jamaïque. Il y a par ailleurs un riche parler urbain qui s'apparente à l'argot des grandes villes nord-américaines.

Longtemps feutrée, la foi catholique s'exprime de plus en plus librement dans la capitale. Depuis la fin des années 1990, faisant corps avec la visite du pape aux premiers jours de 1998, le gouvernement cubain s'est fait de plus en plus tolérant en matière religieuse. La Havane compte aussi une large population de protestants, héritage de la période de domination étasunienne, et les cultes afro-cubains y sont répandus.

Art et culture

Portrait

La Havane affiche son passé européen à un degré que l'on ne retrouve nulle part ailleurs dans les Antilles. Son urbanité donne à sa culture un fini qui surprend et qui charme.

Architecture

La Havane est riche d'une architecture dont elle peut s'enorgueillir. Il est vrai que plusieurs bâtiments ont été passablement négligés au cours des premières années de la Révolution, mais les choses sont en train de changer. Le gouvernement ayant misé sur le tourisme, et l'UNESCO l'aidant de ses deniers, la réfection des édifices de la vieille ville va déjà bon train.

Le développement architectural de La Havane se lit d'est en ouest. La Habana Vieja, le Prado, Centro Habana, le Vedado, Miramar, chaque quartier reflète une période de l'histoire de la ville avec une incroyable fidélité.

L'âge des forteresses

Dans les premières années de la colonie, l'architecture de la ville répond avant tout à un impératif militaire. Un vaste programme de fortifications qui s'étend à tout le pourtour de la mer des Caraïbes, et dont Cuba est une des clés maîtresses, se met en place à partir du milieu du XVIe siècle. Conçue par un architecte militaire italien du nom de Juan Bautista Antonelli, les forts du Moro et de La Punta, construits entre 1589 et 1630, donneront à la ville son air martial.

Derrière ces massives constructions, on ne trouvait alors que baraquements, entrepôts commerciaux ainsi que quelques *bohíos*, masures de bois sans importance.

Le baroque

À partir du milieu du XVIIe siècle, les choses changent tranquillement. Fruits de la composante missionnaire de la colonisation, églises et couvents s'élèvent alors aux quatre coins de la ville. Baroque dit *herreriano*, du nom du célèbre architecte Juan de Herrera, qui travailla entre autres à l'édification du palais de l'Escurial dans les environs de Madrid, ce style plutôt sobre donne aux constructions de l'époque d'imposants portails qui renforcent l'image défensive de la ville. Ces portails, supports d'une riche ornementation, sont généralement flanqués de une ou deux tours. L'église Espíritu Santo, terminée en 1640, est

un bel exemple de l'architecture de cette période.

Ce style austère fera place au XVIIIe siècle à un baroque plus libre, plus riche en motifs décoratifs, mais qui jamais ne s'abandonnera à l'exubérance du baroque mexicain. Par contre, la richesse en bois précieux encouragera l'élaboration de plafonds d'une grande finesse d'un style dit «mudéjar», directement inspiré des traditions mauresques de la métropole.

L'influence hispano-mauresque se fera aussi sentir à travers l'édification des somptueuses demeures privées qui font progressivement leur apparition autour des grandes *plazas*. L'Andalousie s'exprime dans ces maisons qui s'articulent autour d'une cour centrale, appelée *patio*, avec leurs colonnades et leurs balcons couverts pour se protéger du soleil, leurs toits de tuiles rouges et leurs décorations faites de carreaux de faïence colorés, les *azulejos*.

C'est également de cette époque que datent la plupart des édifices gouvernementaux de la vieille ville. Le Palacio del Secundo Cabo et le Palacio de los Capitanes Generales, tous deux devant la Plazas de Armas, furent construits dans la dernière moitié du

XVIIIᵉ siècle et sont de facture analogue.

Néoclassicisme et Art nouveau

Un peu après l'Europe, La Havane assimilera le néoclassicisme au début du XIXᵉ siècle. Retour aux modèles de l'Antiquité, les lignes se redressent, les façades s'épurent. L'urbanisme naissant organise, éclairci. Tout le long du Paseo del Prado et autour du Parque Central, nouveau cœur de la ville, s'élèveront les chefs-d'œuvre du néoclassicisme cubain.

Répondant aux impératifs de la nouvelle économie du sucre et de l'essor que permet son exploitation, la plupart des nouvelles constructions seront destinées au commerce et à l'industrie. Le Palacio de Aldama, soit l'un des premiers exemples du néoclassicisme à La Havane, achevé dans les années 1840, la Manzana de Gómez, ce grand magasin terminé en 1910 en face du Parque Central, et l'Hotel Inglaterra, datant de 1875, en sont parmi les plus beaux exemples.

Se greffant au néoclassicisme, quelques bribes d'Art nouveau apparaissent aussi au tournant du XXᵉ siècle. Le Gran Teatro, fleuron du Prado, réussit admirablement cette synthèse des styles et fait de l'Art nouveau un élément artistique sous-jacent à l'éclectisme qui caractérisera l'architecture du début du XXᵉ siècle.

Modernisme

Avec l'arrivée des Américains, dès les premières années du XXᵉ siècle, la ville se déplace encore vers l'ouest. La construction du Malecón, fierté des Havanais, permit de sauter pardessus Centro Habana, qui n'aura servi que de déversoir pour le trop-plein de population des pourtours de la baie. Les Américains et les Cubains qui en ont les moyens s'installent près de La Rampa, nouvelle avenue à la mode. Le Vedado se couvre alors de maisons qui réinterprètent le style colonial traditionnel en l'adaptant au mode de vie nord-américain en y ajoutant des éléments d'Art nouveau, d'Art déco, et même de ce style Santa Fe arrivé du sud-ouest des États-Unis. Miramar, quoique plus huppé, abondera dans le même sens.

Dans les années 1940 et 1950, les premiers gratte-ciel font leur apparition. Les éléments décoratifs s'effacent complètement de ces constructions en béton armé qui se veulent le symbole même de la modernité. L'hôtel Habana Libre, anciennement le Hilton, et le Habana Riviera, cerise sur l'empire du jeu du célèbre gangster Meyer Lansky, montrent assez l'importance que La Havane entend donner au tourisme.

Architecture révolutionnaire

La Révolution a à répondre à une pénurie pressante de logements. Son architecture sera pragmatique. Dans les banlieues de la ville et de l'autre côté de la baie, son esthétisme va rarement plus loin que celui du bloc de ciment percé de fenêtres, bien qu'il y ait quelques exceptions, comme la faculté des arts plastiques de l'Instituto Superior de Arte, construit en 1961 à Miramar.

Littérature

La littérature cubaine s'inscrit avec aisance dans les grands courants de la culture hispanophone. Après s'être tournée dans ses premières années vers le charme créole du pays, elle devient progressivement plus urbaine, spécialement à partir des années 1950.

Mentionnons d'abord les poètes et héros nationaux les plus connus: José Martí et Nicolás Guillén. Journaliste et poète du XIXe siècle, José Martí, le plus illustre des écrivains cubains, est considéré comme le père intellectuel de la lutte pour l'indépendance nationale. Son œuvre est, somme toute, monumental. Second monstre sacré de la littérature cubaine, Nicolás Guillén a été consacré poète national de la Révolution par Fidel Castro. Métis descendant d'un père blanc et d'une esclave noire, Guillén représente le mouvement avant-gardiste de la libération sociale et raciale du XXe siècle.

Évidemment, nul ne peut parler de littérature cubaine sans mentionner Cirilo Villaverde et son fameux *Cecilia Valdés*. Ce livre constitue la base de la culture littéraire de tout Cubain. Et, qui plus est, il fournit une description insurpassable de La Havane de la première moitié du XIXe siècle. Les rues, les monuments, les bâtiments, tout permet de saisir la ville au temps de sa grandeur.

Reconnu comme la figure littéraire dominante de l'archipel cubain, Alejo Carpentier, mort en 1980, alors qu'il était conseiller à l'ambassade de Cuba à Paris, a abordé La Havane dans quelques-unes de ses grandes fresques littéraires qui lui ont valu, en 1978, le prix Cervantès pour l'ensemble de son œuvre. Son dernier livre, *La Danse sacrale*, publié en 1978, s'étend sur une période qui va de Machado au débarquement de la baie des Cochons. La Havane y est dépeinte à travers les yeux d'une ballerine russe et de son mari architecte. Cette dernière fonction donne au livre un caractère particulièrement intéressant pour qui s'intéresse à l'architecture de la ville. *Le Siècle des lumières*, publié en 1962, se penche, quant à lui, sur le tournant du XIXe siècle et étudie l'impact de la révolte haïtienne sur les mentalités havanaises.

De la même génération, José Lezama Lima a aussi écrit sur La Havane dans des œuvres comme *Paradiso*, publié en 1966. Plus difficile d'approche, il aborde la ville moins directement que Carpentier, donnant à ses personnages une dimension plus éclatée.

La littérature de l'exil a produit des portraits saisissants de La Havane. Guillermo Cabrera Infante se démarque ici de façon indiscutable. Dans *Trois Tristes Tigres*, publié en 1965, il dépeint avec un humour empreint de cynisme la vie nocturne de la capitale cubaine peu avant la Révolution. Le livre a remporté à Paris, en 1970, le prix du meilleur livre étranger, récompense amplement méritée. *La Havane pour un infant défunt* couvre une période plus longue, s'étendant sur les années 1940 et 1950. Le livre fut écrit et publié à Londres en 1978, lieu d'exil de l'écrivain. Il a aussi écrit dans les années 1950 une série de nouvelles publiée en 1962 sous le titre de *Dans la paix comme dans la guerre*, où il fait une grande place au gangstérisme omniprésent dans la capitale à cette époque.

Reynaldo Arenas, poète exilé pour son opposition ouverte au régime du *Comandante*, traite de la vie des marginaux et des insatisfaits dans une Havane sous la férule de Castro. Son autobiographie, *Avant la nuit*, relate ses expériences et donne de la Révolution cubaine un point de vue qui fait réfléchir. Il a aussi écrit *Voyage à La Havane*, composé de trois histoires sur fond de ville, publié en 1990.

Finalement, d'une autre génération, Zoé Váldez a publié en 1995 *Le Néant quotidien*, un très beau roman sur les difficultés de la vie à La Havane au temps de la «période spéciale en temps de paix».

Cinéma

Le cinéma cubain prend véritablement son essor en

1959 avec la création de l'Instituto Cubano de Arte y Industria Cinematográfica (ICAIC). Né de la Révolution, cet institut sera d'emblée engagé, et sa vocation sociale le poussera à faire une grande place au documentaire. Le cinéma populaire lui-même n'échappera pas à cette tendance, et les docudrames tiendront une grande place dans la production cinématographique de l'ICAIC.

La Havane est au cœur de l'œuvre de Tomás Gutiérrez Alea. Décédé en 1996, il aura eu le temps à travers ses quelque 10 longs métrages de dresser un portrait raffiné de cette ville incomparable. Son chef-d'œuvre (pour plusieurs le chef-d'œuvre du cinéma cubain), *Mémoires du sous-développement*, réalisé en 1968, se penche sur la vie d'un petit-bourgeois de La Havane au lendemain de la Révolution qui, témoin de l'écroulement d'un monde pour lequel il n'a aucune sympathie, se sent d'ores et déjà exclu de celui qui le remplace. La persistance de la mentalité bourgeoise ou petite-bourgeoise dans les premières années de la Révolution sera un thème majeur dans son œuvre. De ses films suivants, *Jusqu'à un certain point* (*Hasta cierto punto*, 1983) mérite d'être vu pour les images du port de La Havane et de la vie

qui s'y accroche, mais c'est certainement *Fraise et Chocolat* (*Fresa y Chocolate*), coréalisé avec Juan Carlos Tabio et présenté en 1994, qui enchantera le plus ceux qui s'intéressent à La Havane et à sa culture. Dénonciation de l'intolérance sous le régime de Castro à la fin des années 1970, *Fraise et Chocolat* montre la capitale cubaine avec des images d'une grande beauté.

Après Alea, peu de films cubains peuvent prétendre à une présentation sensible de la réalité dans laquelle vivent les *Habaneros*. Deux réalisateurs se démarquent pourtant: Sara Gómez, laquelle a réalisé en 1974 un film intitulé *D'une certaine manière* (*De cierta manera*), qui traite des tribulations des habitants d'un quartier neuf de La Havane, et Juan Carlos Tabio, mentionné ci-dessus, qui s'est intéressé quant à lui au phénomène de l'échange d'appartements dans la capitale avec son film *Se permuta*, réalisé en 1983.

La Havane est un des centres importants de la cinématographie en Amérique latine. Pour ceux que cela intéresse, chaque mois de décembre depuis 1979, La Havane organise le Festival du nouveau cinéma latino-américain.

Musique

La Havane ne fut pas le berceau des rythmes typiquement cubains. La rumba, le *danzón*, le *son*, le boléro, etc., sont nés loin de la capitale. Mais elle fut le creuset dans lequel ces musiques s'affinèrent et se transformèrent au contact d'influences extérieures, de même le lieu de la reconnaissance pour les musiciens de talent qui s'y regroupèrent à partir des années 1920 en grande partie pour répondre à la demande qu'entraînait le tourisme naissant.

C'est ainsi que par exemple le *son*, genre éminemment cubain, prit racine à La Havane en ces années avec des formations comme le Sexteto Habanero, le Septeto Nacional et le Trio Matamoros. Il emprunta alors au jazz ses ensembles de cuivres et certaines de ses techniques tout en conservant sa rythmique propre. Des contrats d'enregistrement accordés à certains groupes par de grandes compagnies étasuniennes précipitèrent l'ascension sociale du genre, sa reconnaissance et sa diffusion.

De nos jours, La Havane vibre au son du jazz latin et de la salsa, tous deux redevables à ce mélange entre le jazz et la musique afrocubaine, la seconde dominant le paysage havanais, et de loin. La Havane demeure, avec New York et San Juan de Puerto Rico, une des grandes capitales de la salsa, dont les rythmes proches du *son* lui font revendiquer la paternité. Des musiciens de La Havane ont même développé un rythme original baptisé le *songo*, plus enlevé et nerveux que la salsa. La Havane regorge d'orchestres populaires baignant dans ce genre musical.

Enfin est-il encore besoin de parler du Buena Vista Social Club, ce groupe qui fait revivre la musique cubaine qui berça La Havane durant les années de la République à travers quelques-uns de ses plus illustres interprètes?

Grâce à l'initiative de Ry Cooder, un Étasunien, quelques interprètes cubains d'un âge avancé, ayant délaissé le métier depuis longtemps, sont remontés sur les planches pour offrir au monde entier une série de disques et de spectacles qui ne cessent de gagner en popularité. Wim Wenders, le célèbre réalisateur allemand, a même tourné un documentaire portant comme titre le nom du groupe et qui en raconte l'histoire.

Tableau des distances (en kilomètres)
par le chemin le plus court

	Baracoa	Camagüey	Cienfuegos	Guantánamo	Holguín	La Havane	Matanzas	Pinar del Río	Sancti Spíritus	Santa Clara
Baracoa										
Camagüey	431									
Cienfuegos	873	327								
Guantánamo	115	431	758							
Holguín	224	207	534	224						
La Havane	1080	534	251	965	741					
Matanzas	1018	272	200	903	679	102				
Pinar del Río	1240	694	411	1125	901	160	262			
Sancti Spíritus	728	182	145	613	389	352	290	512		
Santa Clara	808	262	65	693	469	272	210	432	80	
Varadero	1020	474	202	905	681	144	42	304	292	212

Exemple: la distance entre Pinar del Río et Cienfuegos est de 411 km.

Renseignements généraux

L e présent chapitre a pour but de vous aider à organiser votre voyage. Vous y trouverez des renseignements généraux et des conseils pratiques visant à vous familiariser avec les habitudes locales.

Tous les prix mentionnés dans ce guide sont en dollars américains.

Formalités d'entrée

Avant de partir, veillez à apporter tous les documents nécessaires pour entrer au pays et en sortir. Quoique les formalités d'entrée soient peu exigeantes, sans les documents requis on ne peut voyager à Cuba. Gardez donc avec soin ces documents officiels.

Le passeport

Pour entrer à Cuba, les voyageurs canadiens, français, belges et suisses doivent avoir en leur possession un passeport valide pour toute la durée du séjour.

Il est recommandé de toujours conserver une photocopie des pages principales de son passeport et d'en noter le numéro et la date d'expiration. Dans l'éventualité où ce document serait perdu ou volé, il sera alors plus facile de le remplacer. Lorsqu'un tel incident survient, il faut prendre contact avec l'ambassade ou le consulat de son pays (pour les adresses, voir ci-dessous) pour s'en faire délivrer un nouveau.

La carte de tourisme

Pour entrer au pays, il est nécessaire d'avoir en sa possession une carte de tourisme *(tarjeta de turista)*. Au Canada, la carte de tourisme est fournie gratuitement avec tout forfait; si vous achetez le vol seulement auprès de Cubana, il vous faudra payer la carte de tourisme 15$. En France, la carte de tourisme vous sera facturée 15€ par le voyagiste, en sus de votre forfait. Si vous n'achetez que le vol sec, vous devrez vous la procurer auprès de Soleil de Cuba (filiale de Cubana), 41 boul. Montparnasse, 2ᵉ étage, 75006 Paris, ☎01.53.63.39.39, aussi au prix de 15€.

La carte de tourisme permet à tout visiteur (canadien, français, belge ou suisse) de rester au pays pour la durée de son séjour. Il faut la conserver avec soin durant tout le voyage, car elle devra être remise aux autorités à la fin de votre séjour.

La réglementation cubaine exige que vous ayez réservé au moins deux nuits d'hôtel. Sinon, les officiers de l'immigration peuvent retarder votre entrée, voire vous imposer l'hôtel de leur choix, peu importe son prix. Pour éviter ces désagréments, si vous n'avez pas déjà de réservation d'hôtel ou si vous logez dans une famille, inscrivez sur la carte de tourisme le nom d'un hôtel connu. Cela vous évitera des ennuis.

Le visa

Les touristes de nationalité canadienne, française, belge et suisse n'ont pas besoin de visa pour entrer à Cuba.

La taxe de départ

Une taxe de départ de 25$ doit être versée par toute personne quittant Cuba. Le paiement de cette taxe s'effectue en partant, à l'aéroport, au moment de la réservation de votre siège. Veillez à disposer de cette somme en argent comptant, car les cartes de crédit ne sont pas acceptées.

La douane

On peut entrer au pays en possession d'un litre d'alcool, de 200 cigarettes et d'articles (autres que des articles personnels) d'une valeur de 100$. Il est bien sûr interdit d'importer de la drogue et des armes à feu.

Ambassades et consulats

Les ambassades et les consulats peuvent fournir une aide précieuse aux visiteurs qui se trouvent en difficulté (par exemple en cas d'accident ou de décès, pour fournir le nom de médecins ou d'avocats, etc.). Toutefois, seuls les cas urgents sont traités. Il faut noter que les coûts relatifs à ces services ne sont pas défrayés par ces missions consulaires.

Missions diplomatiques

Les missions diplomatiques sont toutes situées à La Havane.

Belgique
Avenida 5 n° 7408, angle Calle 76, Miramar
☎24-2410 ou 24-2561

Canada
Calle 30 n° 518, angle Avenida 7, Miramar
☎24-2517 ou 24-2516

France
Calle 14 n° 312, entre Avenida 3 et Avenida 5, Miramar
☎24-2308, 243-2143 ou 24-2080

Suisse
Avenida 5 n° 2005, Calzada, entre Calle 20 et Calle 22, Miramar
☎24-2611 ou 24-2729

Ambassades et consulats cubains à l'étranger

Ces bureaux émettent les visas nécessaires, entre autres dans le cas de voyages d'affaires, et disposent généralement d'un office de tourisme afin d'aider les voyageurs à préparer leur séjour à Cuba. Les responsables peuvent répondre aux questions des visiteurs et leur fournir des brochures.

Belgique

Ambassade
77 rue Robert-Jones, 1180 Uccle
Bruxelles
☎343-0020

Canada

Ambassade
388 Main Avenue
Ottawa, Ontario
K1S 1E3
☎(613) 563-0141

Consulat de Montréal
1415 avenue des Pins Ouest
Montréal, Québec
H3G 1B2
☎(514) 843-8897

France

Ambassade et consulat
14 rue Presles
75015 Paris
☎01.45.67.55.35

Renseignements généraux

Suisse

Ambassade
8 Gesellschaftstrasse
3006 Berne
☎4131-302-2115

Entrée au pays

En avion

Aéroport international José Martí

Situé à 15 km de La Havane, l'**Aeropuerto Internacional José Martí** *(Avenida Rancho Boyeros,* ☎*33-5666, 33-5678 ou 33-5679 pour les vols domestiques)*, possède trois aérogares. La nouvelle aérogare n° 3 accueille généralement les vols internationaux *(*☎*66-6101 ou 66-6112)*.

L'aéroport

De belle taille, l'aéroport de La Havane offre tous les services utiles aux voyageurs. Il dispose cependant de très peu de boutiques, et les prix y sont généralement un peu plus élevés qu'à la ville.

Toutes les agences de location de voitures y ont un petit comptoir; vous pouvez donc louer une voiture sur place. Elles se trouvent toutes les unes à côté des autres; profitez-en pour comparer les prix et la qualité des voitures proposées.

Transport vers La Havane

De nombreux taxis attendent aux abords des différentes sorties de l'Aeropuerto Internacional José Martí, situé à 15 km de la ville sur l'Avenida Rancho Boyeros. Si vous allez au centre ou dans la vieille Havane, calculez entre 15$ et 20$ pour le trajet. Si votre budget est limité, demandez une voiture de la **Panataxi**, qui propose de loin les meilleurs tarifs. Sinon vous pouvez prendre un des autobus publics qui passent sur l'Avenida Boyeros ou faire de l'auto-stop, une pratique très répandue à Cuba. Si vous avez l'occasion de monter à bord d'une vieille voiture américaine des années 1950, vous serez plongé de plain-pied dans l'univers pittoresque de La Havane dès votre arrivée!

Bureaux des lignes aériennes

Aerotaxi
Calle 27 n° 102, angle Calle N, Vedado
☎832-4348

Air Canada
lun-sam 8h à 19h
à l'aéroport international José Martí
☎74-9111 ou 74-9116

AOM
La Rampa – Calle 23, angle Avenida
L, Vedado
☎*266-4802*

Cubana de Aviación
Calle 2 nº 64
☎*33-4949*

Renseignements
touristiques

Infotur, l'office du tourisme
de La Havane, possède des
bureaux à l'aéroport ainsi
que dans la vieille Havane
(Calle Obispo nº 358) ainsi
qu'à Miramar *(angle Avenida
5 et Calle 112)*. En plus d'y
obtenir de l'information
touristique, on peut aussi y
réserver des excursions
ainsi que des billets
d'autocar.

Cubatur
Calle F nº 157, entre Calle 9 et Calle
Calzada, Vedado
☎*33-4155*
Cette agence est spécialisée
dans le tourisme de groupe
et individuel.

Voyagistes et agences
de voyages

Havanatur
Calle 6 nº 17, Miramar
☎*204-2161*

Hola Sun
Calle 2 nº 17, entre Calle 1 et Calle 2,
Miramar
☎*204-2273*

Offices de tourisme
à l'étranger

Canada

440 boulevard René-Lévesque Ouest,
bureau 1105, Montreal, H2Z IV7
☎*(514) 875-8004 ou 875-8005*
≈*(514) 875-8006*
mintur@generation.net

France

280 boulevard Raspail, 75014 Paris
☎*01.45.38.90.10*
≈*01.45.38.99.30*
*lun-jeu 9h à 12h30 et 13h30 à
17h30, ven 9h à 12h30 et
13h30 à 16h30*

Assurances

Annulation

Cette assurance est norma-
lement suggérée par l'agent
de voyages au moment de
l'achat du billet d'avion ou
du forfait. Elle permet le
remboursement du billet ou
forfait dans le cas où le
voyage devrait être annulé
en raison d'une maladie
grave ou d'un décès. Les
gens sans problème de santé n'ont pas à avoir recours
à une telle protection. Elle
demeure par conséquent
d'une utilité relative.

Renseignements généraux

Vol

La plupart des assurances-habitation au Canada protègent une partie des biens contre le vol même si celui-ci a lieu à l'étranger. Pour réclamer un remboursement, il faut présenter un rapport de police. En général, la couverture pour le vol en voyage correspond à 10% de la couverture totale. Selon les montants couverts par votre police d'assurance-habitation, il est plus ou moins utile de prendre une assurance supplémentaire. Pour les voyageurs européens, il est recommandé de prendre une assurance-bagages.

Maladie

Sans doute la plus utile, l'assurance-maladie doit être achetée avant de partir en voyage. Cette police d'assurance doit être la plus complète possible, car, même à Cuba, le coût des soins est relativement élevé pour les étrangers. Au moment de l'achat de la police, il faudrait veiller à ce qu'elle couvre bien les frais médicaux de tout ordre, comme l'hospitalisation, les services infirmiers et les honoraires des médecins (jusqu'à concurrence d'un montant assez élevé). Une clause de rapatriement, pour le cas où les soins requis ne peuvent être administrés sur place, est précieuse. En outre, il peut arriver que vous ayez à débourser le coût des soins en quittant la clinique. Il faut donc vérifier ce que prévoit votre police dans ce cas. Durant votre séjour, vous devriez toujours garder sur vous la preuve que vous avez contracté une assurance-maladie, ce qui vous évitera bien des ennuis si par malheur vous en avez besoin.

Santé

On peut découvrir Cuba sans trop se préoccuper des maladies tropicales, puisque la grande majorité de ces maladies, entre autres la malaria, la typhoïde, la diphtérie, le tétanos, la polio et l'hépatite A, ont été enrayées au pays. Aussi les visiteurs européens et canadiens n'ont-ils pas besoin de recevoir de vaccin avant leur départ. Cependant, il est recommandé, avant de partir, de consulter un médecin (ou une clinique des voyageurs) qui vous conseillera sur les précautions à prendre.

Les maladies

Des cas de maladies telles que l'hépatite B, le sida et certaines maladies vénériennes ont été rapportés; il

Dans la Habana Vieja, une architecture magnifique côtoie de petits indices de la vie quotidienne. - *P. Escudero*

Le Palacio del Centro Gallego, qui abrite le Gran Teatro de La Habana, offre au cie
l'ange qui coiffe son dôme. - *P. Escudero*

serait donc sage d'être prudent à cet égard.

La diphtérie et le tétanos

Ces deux maladies, contre lesquelles la plupart des gens ont été vaccinés dans l'enfance, ont des conséquences graves. Donc, avant de partir, vérifiez si vous êtes bel et bien protégé contre elles; un rappel s'impose parfois. La diphtérie est une infection bactérienne qui se transmet par les sécrétions provenant du nez ou de la gorge, ou encore par une lésion de la peau d'une personne infectée. Elle se manifeste par un mal de gorge, une fièvre élevée, des malaises généraux et parfois des infections de la peau. Le tétanos est causé par une bactérie qui pénètre dans l'organisme lorsque vous vous blessez et que cette blessure entre en contact avec de la terre ou de la poussière contaminée.

La *ciguatera*

Cette maladie rare est causée par l'ingestion d'une toxine, la ciguatoxine, qui se retrouve dans le poisson corallien contaminé (luimême infecté par l'ingestion d'algues poussant sur les récifs de corail). Parmi les espèces pouvant être contaminées, qui ne sont d'ailleurs jamais au menu des restaurants, mentionnons le vivaneau (*red snapper* en anglais ou *huachinango* en espagnol) et le mérou. La toxine, qui n'a ni goût ni odeur, résiste à la cuisson. Il n'y a donc pas d'autre façon de prévenir la maladie qu'en évitant de manger les poissons coralliens. Son effet se fait sentir rapidement, parfois quelques minutes après l'avoir ingérée, ou jusqu'à 30 heures après le repas. Elle provoque des nausées, des vomissements et des diarrhées, mais aussi des symptômes neurologiques, comme des douleurs musculaires, de la fatigue et une inversion des sensations de chaud et de froid. Il n'existe pas encore de traitement pour la guérir, mais il est possible de soigner les symptômes.

Précautions

Les nappes d'eau douce sont fréquemment contaminées par la bactérie causant la schistosomiase (bilharziose). Cette maladie, provoquée par un ver qui s'infiltre dans l'organisme pour s'attaquer au foie et au système nerveux, est difficile à traiter. Il faut donc éviter de se baigner dans toute nappe d'eau douce.

N'oubliez pas non plus qu'une trop grande consommation d'alcool peut causer des malaises, particulièrement lorsqu'elle s'accompagne d'une trop longue exposition au soleil. Elle peut aussi entraîner une certaine déshydratation.

Malgré le manque de moyens, les équipements médicaux de Cuba sont probablement semblables à ceux de votre pays. En dehors des grandes villes, les centres médicaux pourront vous paraître modestes, mais ils disposent de tout l'équipement nécessaire. Pour les Cubains, les soins de santé sont gratuits, mais devront être payés en devises américaines par les étrangers. Dans les centres touristiques, il se trouve toujours des médecins parlant l'anglais. Lors de toute transfusion sanguine, veillez (si possible) à ce que les tests évaluant la qualité du sang aient été bien effectués.

L'eau potable est généralement de bonne qualité et peut être bue partout au pays. Cependant, pour éviter quelques ennuis éventuels, vous pouvez acheter de l'eau en bouteille. Lorsque vous achetez l'une de ces bouteilles, tant au magasin qu'au restaurant, vérifiez toujours qu'elle est bien scellée.

Dans l'éventualité où vous auriez la diarrhée, diverses méthodes peuvent être utilisées pour la traiter. Tentez de calmer vos intestins en ne mangeant rien de solide et en buvant des boissons gazeuses, de l'eau en bouteille ou du thé (évitez le lait) jusqu'à ce que la diarrhée cesse. La déshydratation pouvant être dangereuse, il faut boire beaucoup. Pour remédier à une déshydratation sévère, il est bon d'absorber une solution contenant un litre d'eau, deux ou trois cuillerées à thé de sel et une de sucre. Vous trouverez également des préparations toutes faites dans la plupart des pharmacies. Par la suite, réadaptez tranquillement vos intestins en mangeant des aliments faciles à digérer. Des médicaments, tel l'Imodium, peuvent aider à contrôler certains problèmes intestinaux. Dans les cas où les symptômes sont plus graves (forte fièvre, diarrhée importante...), un antibiotique peut être nécessaire. Il est alors préférable de consulter un médecin.

La nourriture et le climat peuvent également être la cause de divers malaises. Une certaine vigilance s'impose quant à la fraîcheur des aliments (en l'occurrence la viande et le poisson) et à la propreté des lieux où la nourriture est apprêtée. Une bonne hygiène (entre autres, se laver fréquemment les mains) vous aidera à éviter bon nombre de ces désagréments.

Il est recommandé de ne jamais marcher pieds nus à l'extérieur, car parasites et insectes minuscules pourraient traverser la peau et causer divers problèmes, notamment des dermites (infections à champignons).

Les insectes

Les insectes, qu'on retrouve en abondance un peu partout au pays, s'avèrent souvent fort désagréables. Il sont particulièrement nombreux durant la saison des pluies. Dans le but de minimiser les risques d'être piqué, couvrez-vous bien, évitez les vêtements de couleur, ne vous parfumez pas et munissez-vous d'un bon insectifuge (concentration de DEET minimale de 35%). Pour des promenades dans les montagnes et dans les régions forestières, des chaussures et chaussettes protégeant les pieds et les jambes seront certainement très utiles. Il est aussi conseillé d'emporter des pommades pour calmer les irritations dues aux piqûres. Des spirales insectifuges vous permettront de passer des soirées plus agréables sur la terrasse et dans la chambre (si les fenêtres sont ouvertes).

Le soleil

Le soleil peut entraîner de petits ennuis. Ayez toujours à votre portée une crème solaire qui protège des rayons nocifs du soleil. Il est recommandé de choisir une crème offrant un indice de protection 15 pour les adultes et 25 pour les enfants. Appliquez la lotion au moins 15 minutes avant de vous exposer au soleil. Une trop longue période d'exposition pourrait causer une insolation (étourdissement, vomissement, fièvre...). Les premières journées surtout, il est nécessaire de bien se protéger et de ne pas prolonger les périodes d'exposition, car on doit d'abord s'habituer au soleil. Par la suite, il faut éviter les abus. Le port d'un chapeau et de verres fumés peut aider à contrer les effets néfastes du soleil.

La trousse de santé

Une petite trousse de santé permet d'éviter bien des désagréments. Il est bon de la préparer avec soin avant de partir en voyage. Veillez à emporter une quantité suffisante de tous les médicaments que vous prenez habituellement, ainsi qu'une ordonnance valide pour le cas où vous les perdriez. Il peut en effet être malaisé de trouver certains médica-

Renseignements généraux

ments dans les petites villes de Cuba. Les autres médicaments tels que ceux contre la malaria et l'Imodium (ou un équivalent) devraient également être achetés avant le départ. De plus, n'oubliez pas d'emporter des pansements adhésifs, des désinfectants, des analgésiques, des antihistaminiques, du liquide pour verres de contact et une paire de lunettes supplémentaire si vous en portez, ainsi que des comprimés contre les maux d'estomac.

Assistance médicale

Si par malchance vous avez des ennuis de santé lors de votre séjour à La Havane, ne vous en faites pas car les services hospitaliers sont généralement excellents et rapides. Les meilleurs hôpitaux et cliniques sont ouverts aux touristes. Le paiement s'effectue en dollars américains, et, si vous êtes assuré, vous profiterez de l'entente qu'ont ces centres hospitaliers avec les principales compagnies d'assurances internationales.

Hospital Hermanos Ameijeiras
Calle San Lázaro nº 701, entre Calle Marqués González et Calle Belascoaín, Centro Habana
☎57-6043 ou 79-8531 à 39
Le plus grand hôpital de La Havane

Hospital Comandante Manuel Fajardo
Calle Zapata, angle Calle D, Vedado
☎33-8022 ou 32-2477

Clínica Central Cira García
Calle 20 nº 4101, angle Calle 41, Miramar
☎204-2811 à 14

Pharmacies

Tous les hôpitaux mentionnés ci-dessus proposent un service de pharmacie. Bien que les produits pharmaceutiques fassent parfois défaut à cause du blocus américain et des problèmes économiques du pays, des médicaments sont mis à la disposition des touristes dans les centres hospitaliers et dans les grands hôtels de la métropole. Vous pouvez aussi vous rendre à la **Farmacia Internacional** (*Avenida 41, angle Calle 20, Miramar,* ☎*24-2051*).

Opticien

Óptica Miramar
Calle 7, angle Calle 24, Miramar
☎204-2269 ou 204-3990
Óptica Miramar, un excellent centre d'optique, a pignon sur rue dans le quartier de Miramar.

Sécurité

La Havane est une ville relativement sécuritaire. Cependant, l'augmentation du tourisme et la crise économique ont provoqué une croissance de la criminalité. Il est préférable de garder en tout temps ses objets personnels sur soi et de redoubler sa vigilance dans les endroits très fréquentés par les touristes. Des rapports confirment que le Malecón est le théâtre de vols à la tire. Il en est de même pour les rues les plus achalandées de la vieille Havane. Par bonheur, la sécurité policière a été fortement accrue dans ces secteurs.

On ne cessera de vous aborder pour que vous achetiez des produits, changiez vos dollars pour des pesos ou pour vous accompagner. La plupart des personnes qui vous accostent dans les secteurs touristiques sont des «professionnels», et leur unique but est de vous soutirer le plus d'argent possible au cours de ces rencontres. Au mieux, elles tâcheront de se faire inviter pour une bière ou deux. Appelés *jineteros* et *jineteras* (cavaliers et cavalières), ces gens, sympathiques au premier abord, ne sont généralement pas dangereux. De nombreux vols ont cependant lieu une fois que la confiance s'est apparemment installée et que vous laissez, ne serait-ce que quelques instants, vos objets personnels sans surveillance. Plus ils parais-

sent chics (jeans, baladeur, chaînes en or, lunettes de soleil de marque), plus vous risquez de faire affaire avec un véritable «professionnel».

Il n'y a pas de recette magique pour se débarrasser rapidement de quelqu'un qui vous approche de la sorte. Cependant, vous pouvez essayer de dire dès le premier contact: *¡No tengo guaniquiqui, amigo!* (Je n'ai pas d'argent, l'ami). *Guaniquiqui* est un terme rendu populaire par une salsa; ainsi vous soutirerez de la sorte un sourire aux gens qui vous accostent tout en affichant clairement vos intentions. Autrement nous vous conseillons simplement de ne pas donner quoi que ce soit aux personnes qui vous abordent, sinon vous risquez d'attirer une meute de gens. Au mieux, apportez avec vous des bonbons ou des stylos pour les enfants.

Prostitution

La prostitution, qui augmente au même rythme que le tourisme, a pris une forme unique à Cuba. Ici, tout se fait avec subtilité, les hommes et les femmes que vous rencontrerez n'ayant pas nécessairement l'attitude de prostitués. Ce phénomène porte le nom de *jineterismo* à Cuba, désignant ces jeu-

Renseignements généraux

nes hommes et femmes qui lorgnent galamment les touristes pour leur soutirer le plus de dollars et de cadeaux possible. Subtils, ces hommes et ces femmes utilisent leur caractère hospitalier pour vous tromper. Pour plusieurs Cubains, l'objectif ultime d'un *jinetero* ou d'une *jinetera*, contrairement à une prostituée, est de se marier avec leur conquête pour partir du pays. Généralement, ces jeunes gens ne s'avèrent pas dangereux, mais de nombreux cas de vols ont eu lieu dès que les objets personnels des touristes ont été laissés sans attention pendant un moment. Vous reconnaîtrez les *jineteros* à leur habillement: les femmes portent des vêtements osés ou chics; les hommes, quant à eux, portent des lunettes de soleil de luxe, des jeans et une casquette de baseball. Ils approchent les voyageurs en leur demandant l'heure (*¿que hora es?*) ou leur nationalité.

La prostitution masculine connaît aussi une augmentation notable au pays. Ce n'est pas une prostitution masculine habituelle, mais plutôt une façon subtile qu'ont certains hommes de soutirer tout ce qu'ils peuvent de leurs conquêtes féminines venues de l'étranger. Après un brin de causette, voilà que vous vous sentirez obligée de les invi-

ter dans une boîte de nuit et de payer leur entrée et leurs consommations. Puis après vient l'histoire de la famille pauvre qui est dans le besoin (une mère ou un père malade...). Sachez que, dans 90% des cas, ces histoires ne sont que l'invention de véritables «professionnels» qui vous abordent. Les Cubains ont un sens profond de la dignité, et rarement de véritables amis vont vous demander de leur payer les droits d'entrée dans une boîte de nuit et surtout de leur donner de l'argent pour aider leur famille.

Femme seule

Une femme voyageant seule dans ce pays ne devrait pas éprouver de problèmes. Dans l'ensemble, les gens sont bien gentils et peu agressifs. En général, les hommes sont respectueux des femmes, et le harcèlement est relativement peu fréquent, même si les Cubains s'amuseront à draguer les femmes seules. Bien sûr, un minimum de prudence s'impose; par exemple, évitez de vous promener seule dans des endroits mal éclairés tard la nuit.

Climat

On distingue deux saisons à Cuba: la saison sèche, un

peu plus fraîche, qui s'étend de décembre à avril, et la saison humide, qui s'étend de mai à novembre. Des typhons et ouragans s'abattent parfois sur la région du golfe du Mexique de septembre à novembre. La saison sèche est la plus agréable, car la chaleur est moins étouffante, l'humidité réduite et les pluies plus rares. À cette époque de l'année, on enregistre des températures moyennes oscillant entre 21°C et 25°C, et les nuits sont fraîches. On peut aussi voyager durant la saison des pluies, puisque les averses, bien qu'intenses, sont brèves. Du mois de mai à la mi-juin, les averses sont plus fréquentes. Durant la saison humide, il faut s'attendre à des températures moyennes de 30°C. Les heures d'ensoleillement demeurent à peu près les mêmes tout au long de l'année.

La préparation des valises

Le type de vêtements à emporter varie peu d'une saison à l'autre. D'une manière générale, les vêtements de coton et de lin, amples et confortables, sont les plus appréciés dans ce pays. Pour les balades en ville, il est préférable de porter des chaussures fermées couvrant bien les pieds, car elles protègent mieux des blessures qui risqueraient de s'infecter. Pour les soirées fraîches, un chemisier ou un gilet à manches longues peuvent être utiles. N'oubliez pas vos sandales de caoutchouc pour la plage. Durant la saison des pluies, un petit parapluie s'avérera fort utile pour se protéger des ondées. En prévision de certaines sorties, il est bon d'emporter des vêtements plus chics, puisque certains endroits favorisent le port d'une tenue vestimentaire soignée. Enfin, si vous prévoyez faire une randonnée dans les montagnes, mettez dans vos bagages de bonnes chaussures et un gilet.

Transports

L'autobus

Le voyagiste cubain Rumbos propose maintenant aux touristes un service de bus touristique, le *Vaivén*. Celui-ci effectue un long parcours depuis le Palacio de las Convenciones jusqu'au Morro Cabaña, en passant par la Plaza de la Revolución et le Malecón.

Pour 4$, vous pouvez acheter une carte quotidienne et utiliser cet autobus à volonté. Il circule tous les jours, du matin jusqu'au soir (vers 21h).

Par ailleurs, le service public d'autobus à La Havane constitue un véritable casse-tête. Il n'existe aucune documentation sur les horaires et les trajets des autobus. La meilleure façon de prendre l'autobus est de vous rendre à l'un des nombreux arrêts et de dire le nom de votre destination à une personne qui attend l'autobus. Aux heures de pointe, vous devrez vous armer de patience, et nul doute que les longues queues auront même raison des touristes les plus décidés à utiliser ce moyen de transport. Il n'en demeure pas moins que l'autobus est très économique (de un à trois pesos). Si vous restez quelques jours à La Havane, il est conseillé d'utiliser le bus au moins une fois lors de votre séjour: l'expérience est pittoresque. Appelés *camellos* (chameaux), les longs semi-remorques remplis de passagers répondent à la crise du transport public à La Havane.

Les routes qui vous seront probablement les plus utiles sont celles qui vont de la vieille ville au Vedado. Les autobus n°s 195, 232, 264 et 298 font ce trajet. De la vieille ville, vous pouvez les prendre au Parque de la Fraternidad, alors qu'au Vedado il sera plus facile de vous rendre au Parque Coppelia, du côté de La Rampa.

Le taxi

Plusieurs compagnies de taxis sont à la disposition des touristes. Cependant, leurs voitures ne sont généralement pas stationnées devant les hôtels et les endroits touristiques de la ville. Il faudra que vous appeliez à la compagnie de taxis pour obtenir ses services.

Panataxi (☎55-5555) possède un grand parc de voitures et propose les meilleurs tarifs en ville.

Transtur et **Turistaxi** (☎33-6666) possèdent de meilleures voitures, généralement stationnées devant l'entrée des hôtels de La Havane.

Fenix
☎63-9720

Habanataxi
☎53-9085

Taxi OK
☎204-9518

Toutes les compagnies de taxis fonctionnent avec des compteurs, et les prix ne sont pas négociables, même pour les trajets de longue distance. Par exemple, il n'existe pas de tarif fixe pour un trajet de l'aéroport au centre-ville (généralement 15$).

Taxi en pesos

Depuis janvier 1996, une multitude de permis pour des taxis en pesos ont été attribués à La Havane, faisant suite à une certaine libéralisation des entreprises privées et familiales. Ces voitures sillonnent la ville, et vous les reconnaîtrez par un carton annonçant *Taxi* sur le pare-brise. Les tarifs sont fixés par les chauffeurs, mais ne payez pas plus de 1$ pour un trajet en ville, ou 5$ l'heure.

Si vous choisissez ce moyen de transport, essayez d'arrêter les vieilles voitures américaines qui traversent la ville sur des parcours préétablis. Le prix de la course est prédéterminé et se paie en pesos. Vous partagerez alors la voiture avec un nombre variable de Cubains. De la vieille ville vers le Vedado ou Miramar, vous pouvez tenter votre chance sur la Calle San Lázaro, au coin du Prado, ou encore sur l'Avenida Simón Bolívar, au coin du Parque Central. Du Vedado, rendez-vous au coin de La Rampa et de la Calle O.

Carros/taxis particulares

De nombreux professionnels cubains sous-payés ont délaissé leur emploi pour faire du taxi au noir. Stationnés aux endroits les plus touristiques de la ville, ces chauffeurs, souvent sans permis et illégaux, sont très nombreux dans les rues de la capitale. Vous pouvez utiliser leurs services pour des trajets simples ou même louer leurs services pour la journée. Ils sont très utiles et en demande aussi pour les trajets hors de la ville; une excursion à la plage s'avérera beaucoup plus économique. Pour accéder aux plages de l'Est par exemple, vous pouvez vous rendre à l'Estación de Trenes de La Havane, où se trouvent des chauffeurs proposant ce genre de trajet.

Les Cubains qui utilisent ces services paient habituellement entre 1$ et 2$ par personne pour aller à la plage de Santa María. Pour les étrangers, il est plutôt difficile de négocier un tarif sous la barre des 10$ pour la voiture complète. Si vous avez l'intention de passer l'après-midi sur la plage et que vous voulez que le chauffeur vous attende pour le voyage de retour, ne payez pas plus de 15$ (de 20$ à 30$ pour la journée). C'est somme toute la meilleure façon de faire une excursion économique hors de la ville.

En voiture

Conduite

La conduite automobile à La Havane n'est pas plus complexe que dans n'importe quelle autre grande ville du monde. Il faudra cependant vous habituer à la présence de milliers de cyclistes dans les rues de la capitale et vous rappeler que **les vélos ont priorité en tout temps sur les voitures**. Ainsi, aux intersections et si vous avez à tourner à droite, laissez le passage aux vélos puisqu'ils s'arrêteront rarement pour vous laisser passer. Prenez garde, surtout la nuit, parce que les cyclistes respectent peu les consignes de conduite. Il est commun de les voir utiliser une voie complète sur une grande avenue, utiliser la voie de gauche et même se tenir en plein centre d'un boulevard, comme si de rien n'était! Les cyclistes sont donc imprévisibles: vous devez toujours être attentif à ce qui se passe autour de vous et être prêt à toute éventualité.

Stationnement

Vous aurez rarement de la difficulté à trouver un endroit pour garer votre voiture à La Havane. À de nombreux endroits de la ville, des «gardiens» s'improvisent aux abords des rues.

Ils vous offriront de surveiller et de laver votre voiture. Il est coutume de leur donner une pièce de monnaie à votre retour. Autrement, vous pouvez garer votre voiture dans les stationnements des hôtels environnants.

Location

Plusieurs agences font la location de voitures pour des tarifs oscillant entre 50$ et 70$ par jour. **Havanautos** *(Calle 36 n° 505, entre Avenida 5 et Avenida 5A, Miramar,* ☎*204-0647)* a des bureaux dans de nombreux hôtels de La Havane et à l'aéroport international José Martí *(*☎*42-2175)*. **Transautos** a aussi des bureaux dans de nombreux hôtels de La Havane et aux aérogares n°s 1 et 2 de l'aéroport *(*☎*33-5177 à 79)*.

Compte tenu de la croissance du tourisme et de la rigidité du système économique cubain, il y a fréquemment pénurie de voitures de location. Pour éviter les ennuis, il vaut mieux louer la voiture depuis votre pays, éventuellement avec l'achat de votre billet d'avion, ce qui pourrait s'avérer plus économique.

Une autre solution intéressante, particulièrement si vous ne vous éloignez pas de La Havane, consiste à louer une voiture avec chauffeur pour la journée (de 30$ à 50$, voir «*taxis particulares*»).

Autres transports

Bicitaxis

Les *bicitaxis* sont des tricycles (*rickshaws*) utilisés dans la vieille Havane et au Centro. Ils sont beaucoup moins dispendieux que les autres types de taxis, et beaucoup plus relaxants. Vous payerez 1$ pour une course à l'intérieur de la vieille Havane.

Cocotaxis

Les *cocotaxis* sont des motocyclettes à trois roues avec une cabine jaune en forme de coco, d'où le nom. On les trouve un peu partout, et ils coûtent 10$ l'heure pour trois personnes.

Calèches

Il est possible de visiter la vieille Havane en calèche. Le tarif est de 5$ par personne pour une visite de 50 min.

La bicyclette et la motocyclette

Il est possible de louer des bicyclettes ou des motos pour circuler en ville, mais les prix sont relativement élevés si vous passez par des compagnies accréditées. Le mieux pour se procurer une bicyclette est donc de s'arranger directement avec les Cubains eux-mêmes, ce qui est facile si l'on reste dans une *casa particular*, mais autrement plus difficile. Vous pourrez alors vous adresser au groupe Rumbos, spécialiste du tourisme havanais. Rumbos possède plusieurs points de location, et le plus pratique serait d'appeler au bureau central (☎33-3259) pour voir lequel vous conviendrait le mieux.

Comptez environ 1$ l'heure pour une bicyclette, et 3$ pour une moto après versement de 10$ pour la première heure. Dans les deux cas, il est possible d'obtenir de meilleurs prix pour de plus longues périodes.

Si vous louez une bicyclette, vous verrez qu'il existe des milliers de stationnements pour vélos à La Havane. Appelés *parqueos*, ils se trouvent facilement près de l'endroit que vous voudrez visiter. Le coût oscille entre un et deux pesos par bicyclette, et le paiement s'effectue généralement à votre départ. Aussi, prenez soin de cadenasser votre bicyclette dans un de ces stationnements. Tous les vélos étant semblables, le gardien aura peine à savoir

Renseignements généraux

lequel est le vôtre! Pour les identifier, il est courant que l'on vous remette deux petites plaques numérotées, l'une que vous attachez à votre vélo et l'autre que vous gardez sur vous. À votre sortie, il vous suffit de montrer les deux plaques identiques, et le tour est joué. Ces *parqueos* sont sécuritaires; évitez de laisser votre vélo sans surveillance dans les rues, et ce, même s'il est cadenassé. Vous risquez dans ce cas de ne retrouver que le cadre de la bicyclette, sans roues, sans pédales, sans guidon et sans selle: des pièces très convoitées à La Havane.

L'auto-stop

Les visiteurs étrangers seront surpris de voir à quel point la pratique de l'auto-stop est répandue à La Havane. Pour remédier aux problèmes de transport dans la ville, le covoiturage est à la mode et même parfois obligatoire. Parmi les plaques d'immatriculation que l'on retrouve sur les voitures de La Havane, l'une d'entre elles affiche le mot *Estado*. Les conducteurs de ces voitures appartenant à des sociétés d'État ont l'obligation de s'immobiliser devant les auto-stoppeurs pour demander la direction qu'ils prennent, si bien sûr il y a des sièges libres. Dans le cas échéant, et si le con-

ducteur emprunte la même direction que vous, montez à bord! Le meilleur moyen pour arrêter ces voitures est de vous poster à des intersections où se trouve un officier portant un uniforme jaune. Appelés communément *amarillos*, ces représentants de l'ordre interceptent les voitures d'État ayant des sièges vacants.

Autrement les voitures portant la plaque *Particular* sont de propriété privée. Leur conducteur s'arrête parfois devant les auto-stoppeurs; cependant, pour les touristes, on demande habituellement quelques dollars pour le trajet. Il est important de négocier un tarif fixe avant de monter. Un conseil: offrez au conducteur au moins la moitié de ce qu'il vous demande, et, en aucun cas, ne payez plus de 5$ si vous restez en ville et plus de 10$ si vous allez vers la banlieue.

Somme toute, l'auto-stop est un excellent moyen de transport à La Havane, et vous risquez de faire d'heureuses rencontres du même coup. Les femmes pratiquent tout autant l'auto-stop que les hommes, parfois même davantage.

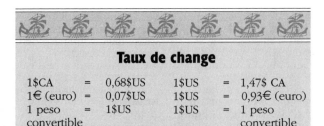

Taux de change

1$CA	=	0,68$US	1$US	=	1,47$ CA
1€ (euro)	=	0,07$US	1$US	=	0,93€ (euro)
1 peso convertible	=	1$US	1$US	=	1 peso convertible

N.B. Ces taux sont sujets à changement.

Renseignements généraux

Services financiers

La monnaie

Trois types de monnaies ont cours légal à Cuba: le peso, le peso convertible et le dollar américain. Le dollar américain a cours légal au pays depuis 1994, et il facilite l'achat de tout ce dont vous aurez besoin. Les hôtels, les restaurants, les boutiques, ainsi que les taxis, les agences de location de voitures et les compagnies aériennes et ferroviaires n'acceptent, des touristes, que les dollars américains.

L'euro est de plus en plus accepté un peu partout dans les zones touristiques.

Le peso convertible, une monnaie différente du peso cubain, a la valeur du dollar, mais seulement à l'intérieur des frontières cubaines. On peut en obtenir dans les distributeurs automatiques qui eux acceptent la carte Visa. Avant votre départ, assurez-vous de changer les pesos convertibles que vous avez en votre possession en dollars, soit à votre hôtel, soit à l'aéroport.

Pour un séjour plus ou moins long à La Havane, vous aurez besoin, de temps à autre, de pesos, la *moneda nacional.* Les autobus, les traversiers, certains taxis, plusieurs restaurants, les cafés et les collations que l'on vend au coin des rues, tout cela se paie en pesos. Quelques pesos bien présentés vous ouvriront bien des portes généralement fermées aux touristes. Il y a maintenant des endroits qui changent les dollars en pesos en toute légalité, des sortes de banques spécialisées. Il y en a une sur la Calle Obispo, à l'angle de la Calle Compostela, dans la vieille ville. Sinon le mieux est de se rendre aux *agromercados*. Il y aura toujours là quelqu'un prêt à vous en changer quelques-uns. Les chauffeurs de taxis peuvent aussi vous être utiles en ce sens. N'en changez que très peu à la fois: à 25 pesos pour un dollar, si l'on considère qu'un café dans la rue ne vous coûtera qu'un peso, il est facile de comprendre que cette monnaie peut vous mener loin.

Les banques

Les banques du réseau Banco Financiero Internacional sont ouvertes du lundi au vendredi de 8h30 à 15h. Toutes changent le dollar américain et les autres devises étrangères à des taux généralement identiques à ceux des hôtels. Prévoyez toujours avoir des espèces sur vous.

Bureaux de change

La plupart des hôtels ont des bureaux de change de la firme **Cadeca**. Les taux de change des devises étrangères sont généralement les mêmes que les institutions bancaires. Vous pouvez aussi changer sans peine les chèques de voyage. En tout cas, pour changer vos espèces ou pour encaisser vos chèques de voyage, vous devrez présenter obligatoirement votre passeport lors de la transaction.

Vous pouvez aussi transiger avec le **Banco Financiero Internacional** *(lun-ven 8h30 à 15h; 1 Linea, Vedado, ☎33-3423)*. Cependant, cet endroit est généralement bondé; alors, prévoyez une certaine attente. Si vous avez des transactions bancaires à effectuer, le Banco Financiero saura répondre à vos besoins. Vous pouvez aussi traiter avec le **Banco Nacional de Cuba-Sucursal Internacional** *(lun-ven 8h30 à 13h; Calle M, angle Calle Linea, Vedado, ☎33-4241)*.

Les chèques de voyage

Il est toujours plus prudent de garder la majeure partie de son argent en chèques de voyage. Ceux-ci sont parfois acceptés dans les restaurants et les hôtels ainsi que dans certaines boutiques (seulement s'ils sont en dollars américains). En outre, ils sont facilement encaissables dans les banques et les bureaux de change du pays, **tant et aussi longtemps qu'ils n'ont pas été émis par une banque américaine**. Aussi les chèques American Express sont-ils refusés. Nous vous conseillons de garder une copie des numéros de vos chèques dans un endroit à part, car, si vous les perdez, la banque émettrice pourra vous les remplacer plus facilement et plus rapidement. Cependant, ayez toujours de l'argent en espèces sur vous.

Les cartes de crédit

Les cartes de crédit sont acceptées dans quelques commerces et restaurants, et leur utilisation est généralisée dans les hôtels, en particulier les cartes Visa et MasterCard. La carte American Express et **les cartes de crédit émises par des banques américaines sont systématiquement refusées**. Les cartes suivantes sont acceptées par le Banco Financiero Internacional et dans plusieurs hôtels du pays, tant et aussi longtemps qu'elles ne sont pas émises par une banque américaine: Access, Banamex, Bancomer, Diners Club International, Eurocard, MasterCard, Carnet, Jcb, Visa.

Retrait d'argent avec une carte de crédit

On peut retirer des dollars US ou des pesos convertibles au guichet de certaines banques ou même dans les distributeurs automatiques installés dans certains grands hôtels de La Havane. Ceux-ci n'acceptent que la carte Visa. Comme partout

ailleurs dans le monde, il est aussi possible de retirer de l'argent sur les cartes de crédit dans les grandes banques, mais il faut présenter son passeport.

Poste et télécommunications

Bureaux de poste

Renseignements généraux

La façon la plus sûre d'envoyer du courrier au départ de La Havane est d'utiliser les services de courrier des grands hôtels dont celui du Habana Libre, ouvert 24 heures sur 24. Pour les envois prioritaires, quelques firmes privées proposent un service de courrier national et international efficace: **DHL Mensajeria Mundial** *(lun-ven 9h à 18h, sam 9h à 12h; Avenida 1, angle Calle 42, Miramar, ☎204-1578)*; **CUBAPOST** *(lun-ven 8h à 16h, sam 8h à 14h; Avenida 5 n° 8210, angle Calle 112, ☎33-6097)*; **CUBAPACKS** *(lun-ven 8h30 à 12h et 13h30 à 17h30; Calle 22 n° 4115, Kohly, ☎204-2134)*.

L'entreprise **Tele Correos** propose les services de courrier, de téléphone et de télécopieur. Elle a des bureaux à l'aéroport et dans certains lieux touristiques.

Le téléphone et la télécopie

L'indicatif international de Cuba est le **53**.

Les appels internationaux peuvent être effectués depuis les grands hôtels ou dans quelques centres de télécommunications. Tant dans les hôtels que dans les centres de télécommunications, il est impossible d'effectuer des appels à frais virés (PCV). La seule et unique façon de réaliser un appel en PCV est d'utiliser le téléphone d'une résidence privée. Un peu partout au pays, des télécartes sont vendues au coût de 10$ ou 20$, utilisables uniquement dans les téléphones publics adaptés à cet effet. Avant d'acheter de telles cartes, assurez-vous qu'une cabine téléphonique se trouve près de votre lieu de séjour.

Les tarifs pour les appels outre-mer sont élevés. Pour ne pas avoir de mauvaises surprises, prenez donc le temps de demander le tarif à la minute avant d'effectuer votre appel.

Pour téléphoner à l'extérieur du pays, le personnel du centre vous expliquera les démarches à suivre.

Internet

L'Internet est loin d'avoir tissé sa Toile en territoire cubain. Néanmoins la majorité des hôtels sont branchés.

Au **Capitolio** (*angle Paseo de Martí et Calle Brasil*) de La Havane, il est possible de s'abonner au réseau moyennant des frais mensuels, mais cette option est exclusivement réservée à ceux qui restent longtemps au pays et qui exercent un rapport commercial avec ce dernier.

Les voyageurs qui veulent envoyer ou recevoir des courriels peuvent le faire par l'intermédiaire du service d'un hôtel moyennant des frais. À titre indicatif, ce service coûte 5$ l'heure à l'**Hotel Nacional** (*angle Malecón et Calle 23, 6ᵉ étage, Oficina Ejecutiva*).

Jours fériés

Pendant les jours fériés, toutes les banques et plusieurs commerces ferment. Prévoyez donc changer votre argent et acheter vos souvenirs la veille. Durant ces festivités, le pays semble fonctionner au ralenti.

1ᵉʳ janvier: anniversaire de la Révolution

6 mai: journée internationale des Travailleurs

26 juillet: anniversaire de l'attaque du Cuartel Moncada

8 octobre: anniversaire de la mort de Che Guevara

10 octobre: anniversaire du début des guerres d'indépendance de 1868

L'autre culture

Le choc culturel

Vous allez visiter un nouveau pays, faire connaissance avec des gens, goûter des saveurs nouvelles, sentir des odeurs inconnues, voir des choses surprenantes, bref, découvrir une culture qui n'est pas la vôtre. Cette rencontre vous apportera beaucoup, mais elle pourrait aussi vous secouer plus que vous ne le pensez. Le choc culturel peut frapper n'importe qui et n'importe où, même, parfois, pas si loin de chez soi!

Raison de plus alors, si vous vous rendez en pays étranger, de demeurer sensible aux symptômes du choc culturel. Face à la façon de fonctionner différente de la culture que vous abordez, vos repères habituels se révéleront sans doute inutiles. La langue et le langage vous seront peut-être inaccessibles, les croyances vous sembleront peut-être insondables, les habitudes incompréhensibles, les gens inabordables, et certaines choses vous paraîtront peut-être inacceptables au premier abord. Pas de panique, l'être humain peut faire preuve d'une grande adaptation. Mais il faut pour cela lui en donner les moyens.

N'oubliez pas que la diversité culturelle est une richesse! N'essayez pas nécessairement de retrouver vos repères habituels, mais tâchez plutôt de vous mettre dans la peau des gens qui vous entourent et de comprendre leur façon de vivre. Si vous demeurez courtois, modeste et sensible, les gens pourront sans doute vous être d'une grande aide. Le respect est une simple clé qui peut embellir beaucoup de situations. Souvenez-vous qu'il ne s'agit pas seulement de tolérer ce qui vous semble différent. Respecter veut dire beaucoup plus que cela. Qui sait, essayer de comprendre le pourquoi et le comment de tel ou tel aspect culturel pourrait bien devenir l'un de vos plus grands plaisirs de voyage!

Renseignements généraux

Le tourisme responsable

L'aventure du voyage risque d'être fort enrichissante pour vous. En sera-t-il autant pour vos hôtes? La question de savoir si le tourisme est bon ou mauvais pour la terre qui l'accueille soulève bien des débats. On peut facilement dénombrer plusieurs avantages (développement d'une région, mise en valeur d'une culture, échanges, etc.), mais aussi plusieurs inconvénients (aggravation de la criminalité, accroissement des inégalités, destruction de l'environnement, etc.) à l'industrie touristique. Une chose est sûre: votre passage ne restera pas sans conséquence, même si vous voyagez seul.

Bien sûr, cela est évident quand on parle d'environnement. Vous devriez être aussi attentif à ne pas polluer en voyage qu'à la maison. On nous le répète assez: nous vivons tous sur la même planète! Mais lorsqu'il s'agit des aspects sociaux, culturels ou même économiques, il est difficile parfois d'en évaluer l'impact. Sachez rester sensible à la réalité qui vous entoure. Interrogez-vous sur les répercussions possibles avant de commettre une action.

Souvenez-vous que l'on risque d'avoir de vous une perception fort différente de celle que vous désirez projeter.

Bref, il appartient à chaque voyageur, peu importe le type de voyage qu'il choisit, de développer une conscience sociale, de se sentir responsable par rapport aux gestes qu'il fait en pays étranger. Une bonne dose de bon sens, suffisamment d'altruisme et une touche de modestie devraient être des outils utiles pour vous mener à un tourisme responsable. C'est aussi ça, le plaisir de mieux voyager!...

Lois et coutumes à l'étranger

Il n'est pas nécessaire d'apprendre par cœur le code des lois du pays que vous allez visiter. Cependant, sachez que, sur le territoire d'un État, vous êtes assujetti à ses lois même si vous n'êtes pas citoyen de cet État. Ainsi, ne tenez jamais pour acquis que quelque chose qui est permis par la loi chez vous l'est automatiquement ailleurs. De plus, n'oubliez jamais de tenir compte des différences culturelles. Certains gestes ou attitudes qui vous semblent insignifiants pourraient, dans d'autres pays, vous attirer des ennuis. Rester sensible aux coutumes de vos hôtes est sans doute le meilleur atout pour éviter les problèmes.

Divers

Les guides

Près des centres touristiques, bon nombre de personnes se débrouillant parfois en anglais, parfois en français, se prétendent guides touristiques. Certaines en ont sans doute la capacité, mais nombreuses sont celles qui ont très peu de compétences en la matière. Méfiez-vous donc. Si vous désirez louer les services d'une telle personne, renseignez-vous bien sur ses compétences. Ces guides ne travaillent pas gratuitement et exigent parfois des sommes d'argent importantes. Avant de partir, entendez-vous clairement sur les services correspondant à la somme d'argent réclamée, et ne payez qu'à la fin.

L'alcool

Dans tous les petits commerces d'alimentation, on vend de l'alcool, plus particulièrement du rhum et de la bière.

Les fumeurs

Il n'existe aucune restriction à l'intention des fumeurs, Cuba étant le royaume du tabac. Certains restaurants de grands hôtels disposent de sections non-fumeurs.

Les pourboires

Pour récompenser un service, il est convenu de donner un pourboire; par exemple, au restaurant, de 10% à 15% du montant de l'addition devrait être laissé, selon la qualité du service, bien sûr.

Si vous payez avec votre carte de crédit dans un établissement gouvernemental, il faut donner le pourboire en espèces, si non c'est l'établissement qui le conserve.

Décalage horaire

L'heure de Cuba est la même qu'au Québec. Il y a donc six heures de moins qu'en Europe de l'Ouest. Cuba avance l'heure en été, mais le changement d'heure ne se fait pas toujours au même moment qu'en Europe ou en Amérique du Nord.

Électricité

Tout comme en Amérique du Nord, les prises électriques sont plates et donnent un courant alternatif d'une tension de 110 volts (60 cycles). Les Européens qui désirent utiliser leurs appareils électriques devront donc se munir d'un adaptateur et d'un convertisseur de tension.

Poids et mesures

Le système en vigueur à Cuba est le système métrique.

Attraits touristiques

Les attraits touristiques de La Havane sont nombreux. De La Habana Vieja à Miramar, la ville se dévoile avec faste en une multitude de magnifiques images.

La vieille ville, avec ses rues étroites et ses édifices coloniaux, le Parque Central et l'architecture néoclassique qui l'habille, le Centro et sa vie grouillante, les splendides demeures du Vedado et de Miramar sont autant de rappels de l'incroyable richesse historique des lieux.

La Havane est une des plus belles villes qui soient, et elle vaut la peine que l'on explore un peu les méandres de son passé. Son histoire l'ayant marqué d'un courant allant d'est en ouest, c'est sans doute sur cet axe qu'il convient de l'approcher pour bien la saisir.

Chacun des circuits de ce chapitre vous entraîne à travers un des quartiers de La Havane. Y sont abordés les principaux attraits touristiques, suivis d'une description historique et culturelle.

Les attraits sont classés selon un système d'étoiles pour vous permettre de faire un choix si le temps vous y oblige.

★ Intéressant
★★ Vaut le détour
★★★ À ne pas manquer

Le nom de chaque attrait est suivi d'une parenthèse qui vous donne ses coordonnées. Le prix qu'on y retrouve est le prix d'entrée pour un adulte.

Circuit A: La vieille ville

Déclarée patrimoine mondial par l'UNESCO en 1982, la vieille Havane est véritablement le cœur touristique de la ville. Les travaux de restauration vont bon train, ce qui donne parfois à penser que l'on se promène au milieu d'un immense chantier de construction. Les touristes y sont légion, ce qui n'est pas étonnant si l'on considère le nombre impressionnant d'édifices coloniaux dont regorge cette partie de la capitale. Certains de ceux-ci sont de véritables bijoux du baroque colonial.

L'emphase mise sur le tourisme pour l'apport de devises étrangères commence d'ailleurs à porter fruit. Habaguanex, responsable de la commercialisation de la vieille ville, prévoit des retombées directes de plus de 60 millions pour l'année 2003, le plus gros de cet argent étant réinvesti dans la poursuite de l'œuvre de restauration déjà bien engagée. Ce travail se fait sous l'œil attentif de l'**Oficina del Historiador de la Ciudad**, qui voit à ce que tout ce qui s'y fait le soit de façon à préserver le caractère historique et architectural des lieux.

La Habana Vieja comprend deux régions distinctes, tant par l'histoire que par l'architecture: la vieille ville, celle qui était jadis entourée par une haute muraille et qui présente une architecture définitivement baroque; et le secteur du Parque Central et du Prado, qui s'étend vers l'ouest au delà des limites précédemment citées. La section traitant de la vieille ville ne s'intéressera, pour des raisons de clarté, qu'à la première de ces deux zones, soit La Havane *intra-muros*. Bordée à l'est par le port et son goulet, et à l'ouest par l'Avenida de las Misiones, l'Avenida de Bélgica et l'Avenida Egido, cette partie forme le cœur de la ville coloniale.

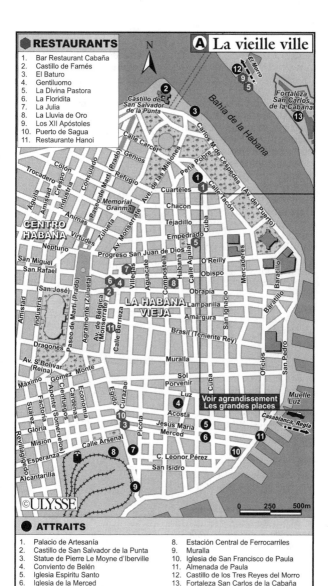

RESTAURANTS

1. Bar Restaurant Cabaña
2. Castillo de Farnés
3. El Baturo
4. Gentiluomo
5. La Divina Pastora
6. La Floridita
7. La Julia
8. La Lluvia de Oro
9. Los XII Apóstoles
10. Puerto de Sagua
11. Restaurante Hanoi

N

Castillo de
San Salvador
de la Punta

Bahía de la Habana

El Morro

Fortaleza
San Carlos
de la Cabaña

Calle Cárcel

Carlos M de Céspedes (Av. del Puerto)

Colón
Trocadero
Aguila
Amistad
Crespo
Industria
Consulado
Paseo de Martí (Prado)
Refugio
Genios
Ave. de las Misiones
Peña Pobre
Calle Tacón

Cuarteles

Chacón

Memorial
Granma

Animas
Virtudes
Zulueta
Av. Monserrate

Tejadillo

Empedrado

Cuba

CENTRO
HABANA

Neptuno

Progreso San Juan de Dios

O'Reilly

San Miguel
San Rafael

Obispo

Villegas
Aguacate
Compostela
Habana
Calle Aguiar

Mercaderes

Barrallio

(San José)

LA HABANA
VIEJA

Obrapía

Lamparilla

San Ignacio

Baratillo

Amistad
Industria
Paseo de Martí (Zulueta)
Agramonte (Zulueta)
Av. de Bélgica (Monserrate)
Calle Bernaza

Amargura

Brasil (Teniente Rey)

Dragones

Muralla

San Pedro

Av. S. Bolívar
(Reina)

Sol

Máximo
Gómez Monte
Aponte (Someruelos)
Cárdenas
Cienfuegos
Economía
Egido
Curazao

Porvenir

Oficios

Luz

Suárez
Factoría

Acosta

Voir agrandissement
Les grandes places

Muelle
Luz

Gloria
Misión
Revillagigedo
Calle Arsenal
Picota

Jesús María
Merced

Casablanca, Regla

Esperanza
Alcantarilla

C. Leonor Pérez

San Isidro

©ULYSSE

0 250 500m

ATTRAITS

1. Palacio de Artesanía
2. Castillo de San Salvador de la Punta
3. Statue de Pierre Le Moyne d'Iberville
4. Convinto de Belén
5. Iglesia Espíritu Santo
6. Iglesia de la Merced
7. Casa Natal José Martí
8. Estación Central de Ferrocarriles
9. Muralla
10. Iglesia de San Francisco de Paula
11. Almenada de Paula
12. Castillo de los Tres Reyes del Morro
13. Fortaleza San Carlos de la Cabaña

Le développement touristique de la vieille ville s'est fait à partir de ses grandes places ou *plazas* jusqu'aux rues environnantes. Les Plaza de Armas, Plaza de la Catedral, Plaza de San Francisco et Plaza Vieja regroupent donc en une zone assez restreinte la majorité des points d'intérêt. Il est ainsi possible de couvrir l'essentiel de La Habana Vieja en peu de temps, en arpentant les rues Mercaderes et Obispo. Il peut toutefois s'avérer intéressant de se laisser attirer hors de ce circuit pour prendre la mesure des lieux et d'en bien sentir l'atmosphère. Une sortie vers le sud ajoutera grandement à l'expérience de la visite.

Le tourisme étant florissant dans cette partie de la ville, il vaut mieux s'y rendre tôt le matin pour en profiter pleinement. Sinon on risque de se retrouver piégé par des colonnes de touristes et leurs guides.

À ceux qui s'intéressent à l'archéologie ou à l'architecture et qui désirent voir la vieille ville sous un angle plutôt pointu, le **Gabinete Arqueológico** *(entrée libre; mar-dim 9h à 14h30; Calle Tacón nº 12, entre Calle O'Reilly et Calle Empredado; ☎861-4469)* offre les services d'un archéologue ou d'un historien de l'art. La revue publiée par le Gabi-

nete bénéficie des dons que vous pourriez faire. Il faut prendre rendez-vous.

Le circuit des grandes places

Il est facile de passer de l'une des quatre *plazas* principales à l'autre sans trop se fatiguer et ainsi goûter, en peu de temps, à ce que La Habana Vieja a de plus beau, mais aussi de plus touristique, à offrir. Chacune de ces places n'est en effet séparée de ses consœurs que par de faibles distances que l'on peut aisément franchir en empruntant de magnifiques petites rues bordées de charmantes maisons coloniales rénovées et transformées en restaurants, hôtels ou musées. Tout le long du parcours, de nombreuses terrasses ont été aménagées pour satisfaire les divers appétits des visiteurs, et, de celles-ci, des musiciens font entendre des airs cubains, créant ainsi une ambiance délicieuse.

Plusieurs petits musées se sont installés dans les anciens palais et demeures que l'on éleva jadis près des centres commerciaux et politiques qu'étaient les *plazas*. Au musée de la Ville, sur la Plaza de Armas, on peut maintenant acheter pour 9$

un laissez-passer qui donne accès à une douzaine de ces musées, ce qui n'est pas mauvais, puisque certains endroits demandent maintenant jusqu'à 3$ de droit d'entrée.

★★★
La Plaza de la Catedral

La Plaza de la Catedral se présente comme un bon point de départ pour commencer la visite de la vieille Havane. Dernière place à avoir été aménagée à l'intérieur des fortifications de La Havane, c'est un endroit charmant où l'architecture de la vieille ville explose de tous ses feux. La **Catedral de La Habana** ★★★ *(entrée libre; lun-sam 10h à 13h, dim 9h à 12h; Calle Empedrado nº 158, ☎861-7771)* possède sans doute l'une des plus belles façades baroques de toute l'Amérique latine. Commencée en 1748, l'église ne fut achevée et consacrée cathédrale qu'en

Catedral de La Habana

1789, lorsque La Havane fut hissée au rang d'évêché.

Flanquée de deux tours asymétriques, elle domine totalement la grande place. L'intérieur, refait au cours du XIXᵉ siècle, peut toutefois décevoir un peu les amoureux du baroque, mais l'ensemble opère tout de même un certain charme.

Face à la cathédrale, de l'autre côté de la Plaza de la Catedral, se dresse une maison coloniale où loge aujourd'hui le **Museo de Arte Colonial** ★ *(2$; mar-dim 9h à 18h30; Calle San Ignacio nº 61, ☎862-6440)*. Construite en 1720 pour le gouverneur de Cuba, Luis Chacón, cette maison est caractéristique des demeures de cette époque, avec une cour centrale entourée de galeries, d'arches et de toitures de bois sculpté. Fondé en 1969, le musée expose quelques pièces de mobilier et de décoration de style colonial, et renferme aussi une salle consacrée aux moyens de transport d'époque.

Entre les deux, à droite de la cathédrale, l'ancien **Palacio de los Marqueses de Aguas Claras**, construit en 1760, abrite maintenant le restaurant El Patio, dont la terrasse est probablement l'une des plus convoitées de La Habana Vieja. Il vaut la peine d'entrer et de jeter un

Attraits touristiques

un des plus beaux de la ville.

Les anciennes maisons qui occupent le côté est de la Plaza de la Catedral sont les palais du Marqués de Arcos et du Conde de Casa Lombillo. Ce dernier, situé à l'angle de la Calle Empedrado, renferme aujourd'hui le musée de l'Éducation, tandis que l'Atelier municipal d'arts graphiques et une galerie d'art logent dans La Casa del Marqués de Arcos. Ces deux palais, avec leur arcade à colonnes doriques, sont typiques de l'architecture coloniale. Il vaut la peine d'y consacrer quelques minutes et admirer

● ATTRAITS

1. La Plaza de la Catedral
2. La Catedral de La Habana
3. Palais du Conde de Casa Lambillo
4. Museo de Arte Colonial
5. Casa del Marqués de Arcos
6. Palacio de los Marqueses de Aguas Claras
7. Seminario San Carlos
8. Parque Luz Caballero
9. Centro Wilfredo Lam
10. Museo Alejo Carpentier
11. Gabinete Arqueológico
12. Plaza de Armas
13. Castillo de la Real Fuerza
14. Templete
15. Museo de la Ciudad
16. Palacio del Segundo Cabo
17. Museo de Historia Natural
18. Mirador de la Bahía
19. Museo de la Plata
20. Museo de Autos Antiguos
21. Casa del Arabe
22. Museo Numismático
23. Casa del Benemérito de las Américas Benito Juárez
24. Museo Taller Guayasamín
25. Casa de África
26. Casa de la Obrapía
27. Maqueta del Centro Histórico
28. Plaza de San Francisco
29. Fuente de los Leones
30. Longa del Commercio
31. Casa de la Pintora Venezolana
32. Iglesia y Conventode San Francisco de Asís
33. Plaza Vieja
34. Fototeca de Cuba
35. Camara Oscura
36. Casa Hermanas Cárdenas
37. Antiguo Colegio Santo Ángel
38. Museo de Naipes
39. Galería Arte Contemporáneo
40. Casa de los Condes de Jaruco
41. Iglesia San Francisco El Nuevo
42. Museo Nacional de la Historia de las Ciencias Carlos J. Finlay
43. Convento de Santa Clara
44. Fundación Havana Club
45. Museo Alexander De Humboldt

◯ HÉBERGEMENT

1. Ambos Mundos
2. Casa Particular de Eugenio Barral García
3. Casa Particular de Elvia Olivares
4. Hotel del Tejadillo
5. Hostal El Comendador
6. Hostal Valencia
7. Hotel Conde de Villanueva
8. Hotel Florida
9. Residencia Académica del Convento de Santa Clara
10. Santa Isabel

● RESTAURANTS

1. Antonio Pérez Alonso (paladar)
2. Café de Oriente
3. Café Paris
4. Café Taberna
5. Cafetería Torre La Vega
6. Da Giovanni's
7. Doña Eutimia (paladar)
8. El Patio
9. La Bodeguita del Medio
10. La Dominica
11. La Mina
12. La Moneda Cubana (paladar)
13. Los Dos Hermanos
14. Los Marinos
15. Restaurante Al Medina
16. Torre de Marfil

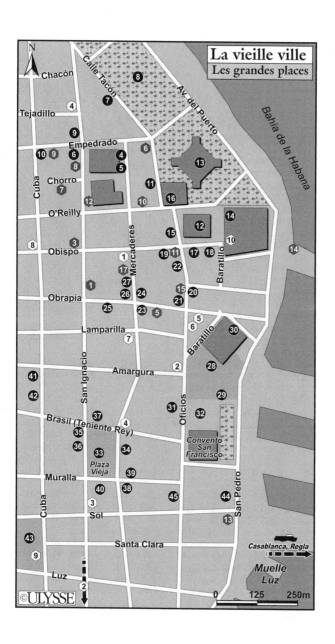

La vieille ville
Les grandes places

N

Chacón

Calle Tacón

8

7

Tejadillo

4

9

10 9

Empedrado

6
8

4
5

6

Chorro

7

11

12

10

O'Reilly

Mercaderes

15

12

14

10

8

Obispo

3

1

19 11

17 18

17

22

1

27

26 24

15 20

21

Obrapía

25

23 5

Lamparilla

7

6

5

Baratillo

30

28

Amargura

2

41

42

31

29

32

Brasil (Teniente Rey)

37

4

Oficios

35

36

33 34

Plaza
Vieja

39

Muralla

40 38

45

44

San Pedro

3

Sol

13

43

Santa Clara

9

Luz

2

©ULYSSE

Bahía de la Habana

Av. del Puerto

13

16

14

Baratillo

Convento
San
Francisco

Casablanca, Regla

Muelle
Luz

0   125   250m

Cuba

San Ignacio

Cuba

plusieurs détails baroques, comme les vitraux qui laissent filtrer la chaleur tout en éclairant l'intérieur ou les grandes portes qui donnent sur le balcon.

Les nombreux artisans qui étouffaient il y a peu de temps la place de la Cathédrale ont été relégués à la place des Artisans *(mer-sam 8h à 18h)* au nord de la Calle Tacón. Un peu à l'est, le magnifique **Seminario San Carlos**, terminé en 1774, est toujours utilisé comme séminaire; il ne peut malheureusement être visité, mais l'extérieur à lui seul vaut le détour.

Patio du Palacio de Artesanía

Juste devant le séminaire se trouve le **Parque Luz Caballero**, un beau parc où il est possible de respirer un peu de l'air de la baie et de regarder les bateaux passer le goulet qui les mène à la mer ou au port. La vue sur les forts du Morro et de la Cabaña y est très belle.

Il est encore possible de pousser un peu vers le nord pour voir le **Palacio de Artesanía ★** *(entrée libre; tlj 9h à 21h; Calle Cuba nº 64, entre Calle Cuarteles et Calle Pena Pobre, ☎867-1118)*. Anciennement palais du comte Pedroso, l'un des hommes les plus riches et les plus influents de la colonie, cette

résidence construite en 1780 fut occupée dans la

deuxième moitié du XIXe siècle par le palais de justice de la ville. Sa cour intérieure est de toute beauté, et sa galerie double, la seule de ce genre à La Havane, est particulièrement agréable. Le Palacio de Artesanía abrite actuellement des boutiques d'artisanat et un restaurant-bar.

Tout près de la Plaza de la Catedral, le **Centro Wilfredo Lam ★★** *(2$; lun-sam 10h à 17h; Calle San Ignacio, angle Calle Empedrado, ☎861-2096)* a emménagé dans une magnifique maison coloniale datant de 1760, autrefois connue sous le nom de «Casa de los Condes de San Fernando de Peñalver». On y présente des travaux d'artistes cubains et latino-américains contemporains, mais malheureusement rien de Wilfredo Lam (1902-1982), peintre cubain de renommée internationale dont le centre porte le nom. Pour voir l'œuvre de Lam, il faut se rendre au **Museo Nacional de Bellas Artes** ★★★ (voir p 125).

Les amants de littérature ne manqueront pas de visiter la maison qui inspira en partie l'écrivain cubain Alejo Carpentier pour *Le Siècle des lumières*, l'une de ses œuvres maîtresses. Le **Museo Alejo Carpentier** *(entrée libre; lun-ven 8h30 à 16h; Calle Empedrado nº 215, ☎861-5506)* respire la tranquillité et incite à la rêverie. Un centre de recherche et une bibliothèque en font partie, et de nombreux experts de l'œuvre de Carpentier y travaillent. Vous y trouverez plusieurs documents originaux de l'auteur, et un guide est à votre disposition pour une visite.

★★★
La Plaza de Armas

Pour aller de la Plaza de la Catedral à la Plaza de Armas, qui n'est qu'à quelques pas de là, on peut prendre la Calle Mercaderes, ou encore descendre le long de la Calle Tacón, charmante rue qui longe le Castillo de la Real Fuerza, et visiter en passant le petit **Gabinete Arqueológico** ★ *(entrée libre; mar-dim 9h à 14h30; Calle Tacón nº 12, entre Calle O'Reilly et Calle Empredado, ☎861-4469)*, installé dans une résidence du XVIIe siècle. On peut encore voir certaines peintures murales qui rehaussaient jadis la beauté des lieux. Les plafonds du premier étage sont de facture mudéjar caractéristique de cette époque. Le Gabinete Arqueológico permet de voir des objets remontant aux premières années de la colonie, et il renferme une salle qui présente d'intéressantes pièces se rattachant à la culture autochtone.

La Plaza de Armas est la plus vieille place de La Havane. La première messe sur le site de la nouvelle colonie aurait été célébrée ici en 1519. Cette magnifique place renferme un parc aux arbres fleuris sous lesquels on peut se cacher du soleil de midi au milieu des bouquinistes et de leurs tréteaux. Centre politique de la colonie durant presque toute la période de domination espagnole, elle est entourée des plus belles constructions baroques de la vieille ville. Il est d'ailleurs intéressant de trouver

Attraits touristiques

La Giraldilla

La *Giraldilla*, première statue de bronze coulée à La Havane, est un hommage à Inés de Bobadilla, femme de Hernando de Soto, gouverneur de Cuba et victime d'un rêve mal assuré.

En effet, Hernando de Soto, compagnon de Pizarro lors de la conquête du Pérou, s'était mis en tête que la Floride recelait des richesses qui surpassaient tout ce que les conquistadors avaient pu trouver jusque-là sur les nouvelles terres de la Couronne espagnole. Il investit à cette fin les quelque 100 000 ducats que lui avait rapporté le Pérou pour monter une expédition en Amérique du Nord. Sûr de son succès, il amena avec lui sa femme et tous ses biens. Le titre de gouverneur de Cuba devait lui permettre de se servir de l'île comme d'un tremplin pour ses expéditions en Floride, à cette époque toute la partie sud des actuels États-Unis.

À la fin du mois de mai de l'année 1539, de Soto partit pour la Floride avec neuf navires, 237 chevaux, 513 hommes et des provisions suffisantes pour toute une année. L'île de Cuba avait été complètement vidée de ses ressources pour compléter les préparatifs de l'expédition. Le conquistador laissait sa femme derrière lui avec la charge de gouverneur pour le temps qu'il lui faudrait pour faire main basse sur les richesses qu'il savait à portée de main.

Or, de Soto ne trouva point ce qu'il cherchait, et les empires floridiens l'éludèrent. Il périt sur les berges du Mississippi, et son corps fut abandonné par les quelques survivants de l'expédition qui finirent par atteindre la colonie espagnole de Panuco, quelque trois ans après être débarqués sur les côtes de la péninsule.

La nouvelle de la mort de son mari n'atteignit Inés de Bobadilla qu'en octobre 1543. Jusque-là, la fidèle épouse avait refusé de croire en la mort de son époux, et, du haut de la tour de la forteresse de la Real Fuerza, elle guetta durant trois années un signe de son retour.

Devenue le symbole de la ville, la petite statue qui se trouve actuellement sur le Castillo est une copie de l'original qui repose au musée de la ville.

au centre de la place, qui rappelle si fortement la mainmise espagnole sur la ville et le pays tout entier, une statue de **Carlos Manuel de Céspedes**, celui-là même qui lança la première guerre d'indépendance en 1868 avec son *Grito de Yara*.

À l'origine, la place était utilisée pour les exercices militaires des soldats stationnés dans cet avant-poste du Nouveau Monde entre les murs de la plus vieille forteresse de la ville, le **Castillo de la Real Fuerza**. Édifiée en 1577 pour faire face à la menace des corsaires, elle abrite maintenant le **Museo Nacional de la Real Fuerza** ★★ *(1$; mar-dim 9h à 18h; Calle O'Reilly, entre Avenida del Puerto et Calle Tacón, ☎861-6130)*. Le musée contient une importante collection de céramiques, entre autres de très belles pièces des renommés sculpteurs cubains Wilfredo Lam

(1902-1982) et René Porto Carrero (1912-1985). Deux salles accueillent des expositions d'art contemporain. Le château est très bien conservé. Sur le toit, une agréable terrasse offre un point de vue unique sur le Christ de La Havane, de l'autre côté de la baie, et sur la vieille Havane en général. Sur la tour nord-ouest du château, vous verrez *La Giraldilla*, symbole de la ville (voir encadré).

Le **Templete** *(1$; tlj 9h à 18h; angle Calle Baratillo et Calle O'Reilly)* est la première construction néoclassique de La Havane. Il rappelle la signature officielle de l'acte de fondation de la ville en 1519 par Panfilio de Narváez, alors sous les ordres du conquistador espagnol Diego Velázquez. On y commémore chaque année, le 16 novembre, la première messe célébrée à La Havane. À l'intérieur, une fres-

Attraits touristiques

que du Français Jean-Baptiste Vermay témoigne de ce moment historique de la capitale cubaine.

Toujours sur la Plaza de Armas, le **Museo de la Ciudad** ★★★ *(3$; mar-sam 9h à 18h, dim 9h à 13h; Calle Tacón, entre Calle Obispo et Calle O'Reilly, ☎861-2876)* est dédié à la ville de La Havane, et il constitue une étape incontournable pour quiconque visite la capitale cubaine. Le musée loge dans ce qui fut le Palacio de los Capitanes Generales. C'est à cet endroit que fut signé en 1898 le traité de Paris, qui cédait l'île de Cuba aux États-Unis. Pendant l'administration américaine (1898-1902), puis jusqu'en 1920, le palais fut le siège de la présidence cubaine. Jusqu'en 1958, il fit office d'hôtel de ville.

L'architecture baroque de ce palais en fait l'un des plus importants de son genre à La Havane. La cour intérieure est dominée par une statue de Christophe Colomb en marbre d'Italie, datée de 1862 et élevée à l'ombre de deux palmiers royaux, emblème officiel de Cuba. De nombreuses collections d'art et d'objets coloniaux sont agréablement présentées dans ce musée d'une grande richesse historique et architecturale.

Juste à côté du musée de la Ville, de la même époque que le Palacio de los Capitanes Generales, le **Palacio del Segundo Cabo** ★★, achevé en 1772, est probablement, avec le premier, le plus bel exemple d'architecture baroque *herreriano* de la vieille ville. Ayant servi sous l'administration espagnole de commissariat, de bureau des affaires intérieures, puis de bureau de poste, il accueillit durant les premières années de la République le Sénat puis, lorsque celui-ci emménagea au Capitolio, la Cour suprême. Il abrite maintenant la **Galería y Librería** *(1$; tlj 8h à 17h; ☎862-8091)*, une grande librairie bien remplie. On peut demander à monter sur le toit de l'édifice d'où l'on a une vue saisissante sur le fort, moyennant un léger pourboire.

Devant le Palacio del Segundo Cabo, de l'autre côté de la place, le **Museo de Historia Natural** *(3$; mar-ven 9h30 à 17h30, sam-dim 9h30 à 16h; Calle Obispo n° 61, entre Calle Mercaderes et Calle Officios, ☎863-9361)* s'est installé dans ce qui fut, sous la République, l'ambassade États-Unis. Le modernisme de l'intérieur tranche résolument avec les lieux environnants, et les expositions n'ont pas de quoi renverser les visiteurs, bien que le premier étage ait une large section sur la faune et la flore cubaines.

Le **Mirador de la Bahía** ★ est juché sur le toit du musée d'Histoire naturelle. La vue que l'on a sur la baie y est sublime, et il y a là-haut une cafétéria qui sert des repas légers et des boissons. Le restaurant est plutôt ordinaire, mais c'est un endroit plaisant pour prendre un verre. Pour accéder au Mirador, il faut prendre l'entrée à gauche de celle du musée d'Histoire naturelle et aller tout au fond du corridor, jusqu'à l'ascenseur qui vous y conduira en quelques secondes.

Toujours sur la Calle Obispo, juste derrière le musée de la Ville, il y a maintenant un **Museo de la Plata** *(entrée libre; mar-sam 9h à 14h, dim 9h à 12h; Calle Obispo, entre Calle Oficios et Calle Mercaderes, ☎863-9861)*. Sorte d'annexe du musée de la Ville, il renferme une impressionnante collection d'argenterie.

★
De la Plaza de Armas à la Plaza de San Francisco

Entre la Plaza de Armas et la Plaza de San Francisco, plusieurs maisons d'époque ont été retapées et transfor-mées en musées ou en centres culturels.

Le **Museo de Autos Antiguos** *(1$; tlj 9h à 18h; Calle Oficios, entre Calle Obispo et Calle Obrapía)* propose une collection de voitures anciennes. De la première voiture arrivée à La Havane, une Cadillac de 1905, jusqu'à la Chevrolet ayant appartenu à Che Guevara, les amateurs d'histoire et de voitures y trouveront leur compte.

La **Casa del Arabe** *(mar-dim 9h à 13h; Calle Oficios nº 12, entre Calle Obispo et Calle Obrapía, ☎861-5868)*, installée dans une maison construite en 1688 mais maintenue parfaitement dans son état d'origine, présente des expositions ethnologiques et culturelles sur le thème des cultures arabe et musulmane.

Non loin de là se trouve le **Museo Numismático** *(entrée libre; mar-sam 9h à 14h, dim 9h à 12h; Calle Oficios nº 8, entre Calle Obispo et Calle Obrapía, ☎861-5811)*, qui possède une importante collection de monnaies locales.

Dédiée à l'histoire et à la culture mexicaine, la **Casa del Benemérito de las Américas Benito Juárez** *(entrée libre; mar-sam 9h30 à 16h30, dim 9h à 13h; Calle Obrapía nº 116, angle Calle Mercaderes, ☎861-8166)* comprend

Attraits touristiques

plusieurs expositions sur l'artisanat populaire du Mexique.

En face, le **Museo Taller Guayasamín** ★ *(entrée libre; mar-dim 9h à 13h; Calle Obrapía n° 111, entre Calle Mercaderes et Calle Oficios,* ☎861-3843) est l'ancien atelier-appartement havanais du célèbre peintre et sculpteur équatorien Guayasamín, mort en 1999. On peut visiter sa chambre et son atelier, et voir quelques-unes de ses toiles, dont un immense portrait du *Comandante*, ami personnel de l'artiste.

Tout près, la **Casa de África** *(2$; mar-sam 9h à 17h; Calle Obrapía n° 157, entre Calle Mercaderes et Calle San Ignacio,* ☎861-5798) possède deux importantes collections d'objets liés aux différents cultes religieux afro-cubains et renferme des salles dédiées exclusivement à la culture africaine. Vous pouvez aussi en profiter pour visiter la résidence historique du capitaine espagnol Martín Calvo de la Puerta, la **Casa de la Obrapía** *(entrée libre; mar-sam 9h30 à 16h30, dim 9h30 à 12h30; Calle Obrapía n° 158, angle Calle Mercaderes,* ☎861-3097). Vieille maison datant de 1648, agrandie et remodelée au XVIIIᵉ siècle, elle conserve encore quelques peintures murales originales. On y expose des meubles du XIXᵉ siècle, et l'une des salles du rez-de-chaussée est dévolue à la mémoire de l'écrivain cubain Alejo Carpentier.

Pour aider à mieux apprécier la visite de la vieille ville, il est depuis peu possible de contempler la magnifique **Maqueta del Centro Histórico** ★ *(1$; tlj 9h à 18h; Calle Mercaderes n° 116, entre Calle Obispo et Calle Obrapía).* D'une échelle plus grande que celle de Miramar (**Maqueta de La Habana**, voir p 142), elle dévoile l'espace du centre historique de La Havane en un tout clair et intelligible. Les explications données par les guides sont des plus appropriées et aident grandement ceux qui veulent profiter au maximum de leur expérience havanaise.

★★
Plaza de San Francisco

La Plaza de San Francisco est la deuxième place de la ville par son ancienneté. Sa proximité du port en a fait un centre commercial important dès le début de la colonie. Depuis les années 1980, on s'est affairés à lui redonner son lustre d'antan. De magnifiques édifices et résidences entourent la grande place, dont la **Fuente de los Leones**, installée en 1836, rehausse la grandeur. Sur les terrasses qui

Les *solares*

Les *solares* sont ces grandes maisons transformées en plusieurs unités de logement que se partagent de nombreuses familles. La vieille ville en est remplie. Voici comment Guillermo Cabrera Infante les place dans l'histoire de la ville:

J'ai déjà expliqué, brièvement, comment j'imagine que ces édifices découpés en chambres (non pas les phalanstères tels que celui de la rue Zulueta, mais les authentiques, les toutes premières maisons nobles du vieux Havane) ont pu prendre le nom de solar; comment les maisons anciennes, abandonnées par leurs propriétaires nobles ou anoblis après l'Indépendance, furent divisées en chambres destinées à absorber non seulement la population havanaise en expansion, mais aussi les émigrés de l'intérieur, dans les premières années de la République, et les guérilleros mambis, pas les officiers mais la troupe, la soldatesque composée d'une majorité de pauvres Blancs, de Noirs et de mulâtres, tandis que les officiers blancs dotés d'un nom envahissaient les grandes maisons de La Havane situées extramuros, dans le prolongement des rues Zulueta et Monserrat; là ils poseraient aux nouveaux aristocrates et feraient revivre une colonie caricaturale au Cerro, à la Vibora et jusqu'au lointain Vedado. C'est ainsi que les maisons nobles de la vieille ville, les maisons solariegas, devinrent des solares.*

Tiré de *La Havane pour un infant défunt*, publié en 1978.

jouxtent la place résonne perpétuellement une musique cubaine qui donne aux lieux un charme profond.

Mais c'est l'**Iglesia y Convento de San Francisco de Asís ★★** *(1$; tlj 9h à 18h30; entrée par Calle Oficios, entre Calle Amargura et Calle Brasil,* ☎862-3467) qui donne à la place toute sa grandeur. Tournée vers l'intérieur de la ville, la devanture de l'église peut être difficile à apprécier pleinement, mais elle demeure splendide. Terminée en 1739 avec l'érection du couvent qui la prolonge, l'église présente une image inégalable de l'austérité qui présidait à l'élaboration architecturale de ce baroque simple et sévère dont il y a peu d'exemples dans le monde. Sa crypte abritait jadis les sépultures des grandes familles. L'église se transforme le soir en salle de concerts, car l'acoustique y était extraordinaire. Les archéologues ont trouvé le secret de ce phénomène. De grandes amphores de résonance, en montre à droite du portique de l'église, étaient scellées à l'intérieur des immenses colonnes. La tour de 42 m s'élevant sur trois paliers fut longtemps la plus haute de la ville et du temps de la colonie, et elle n'était dépassée de quelques mètres que par celle de Manaca Iznaga. On peut monter jusqu'au sommet et jouir d'une vue grandiose sur le port et la vieille ville.

Un premier cloître abrite un musée d'Art religieux. Vous y trouverez des statues en bois polychrome, du mobilier et des objets provenant des fouilles effectuées lors de la restauration de l'église. Au premier étage, vous verrez une très grande photo de Fidel avec le pape. Une des salles donne accès à la tribune de l'église et une autre à la terrasse offrant une superbe vue sur la place. Un deuxième cloître, tout au fond, présente trois volées d'arcades (une première en Amérique) et une fontaine au centre d'une cour paisible.

Au nord de la Plaza San Francisco, vous verrez le bel édifice de la **Longa del Commercio** (la Bourse de commerce), construit au début du XXe siècle. Coiffé d'un dôme sur lequel trône la statue en bronze du dieu Mercure, patron des marchands et messager des dieux, l'édifice abrite aujourd'hui les sièges de capitaux étrangers. Face à l'entrée de l'église, la **Casa de la Pintora Venezolana**, construite au XVIIe siècle, expose les peintures d'artistes sud-américains.

★★
Plaza Vieja

De la Plaza de San Francisco à la Plaza Vieja, il n'y a que quelques pas à faire par la Calle Brasil (restaurée). La Plaza Vieja fut, dès le XVIe siècle, un marché ouvert qui abrita pendant un certain temps le plus important marché d'esclaves de la ville. Dans la foulée, quelques riches marchands vinrent s'installer sur la place pour être près de leurs affaires. Les restaurateurs de l'Oficina del Historiador de la Ciudad s'affairent depuis les dernières années à redonner à la Plaza Vieja son aspect original. Avec en son centre une jolie fontaine en marbre blanc de Carrare, et tout autour de beaux palais restaurés ainsi que d'anciennes maisons aménagées en *solares*, la vieille place est devenue la plus accueillante des *plazas* de La Habana Vieja. À quand les bancs pour jouir de ce lieu paisible?

Magnifique demeure construite dans les années 1730, la **Casa de los Condes de Jaruco** ★ *(Calle Muralla, angle Calle San Ignacio)* abrite depuis 2003 l'**Hotel Beltran de Santa Cruz** *(entrée par Calle San Ignacio nº 411)*. L'établissement hôtelier porte le nom du premier comte de San Juan de Jaruco. La Casa de los Conde de Jaruco fut un des grands salons littéraires du XIXᵉ siècle. N'hésitez pas à la visiter, elle est magnifique.

Sur le côté est de la Plaza Vieja, observez les loggias et les fenêtres des façades originales; l'intérieur des édifices était en détérioration et a été reconstruit. La maison d'Esteban José Portier abrite la **Fototeca de Cuba** ★ *(entrée libre; mar-sam 10h à 17h, dim 10h à 14h; ☎862-2530)*, soit une collection de quelque 25 000 photos de l'île d'avant 1920.

La **Casa Hermanas Cárdenas**, située à l'angle de la Calle Brazil et de la Calle San Ignacio, renferme la **Camara Oscura** *(1$; mar-sam 9h à 17h, dim 9h à 13h)*, soit le centre de diffusion des arts visuels. Le patio entouré de colonnes est imposant.

De l'autre côté de la Plaza Vieja se trouve l'**Antiguo Colegio Santo Ángel,** qui date de la fin du XVIIIᵉ siècle et qui abrite aujourd'hui un restaurant et un bar. Ayant appartenu à la famille Benítez de Parejo, ce palais fut un des premiers collèges pour orphelins de La Havane.

Le **Museo de Naipes** ★ *(tlj 8h à 17h; Calle Muralla nº 107)* possède une collection de quelque 2 000 cartes à jouer du monde entier. À côté du musée se situe la **Galería Arte Contemporáneo** *(tlj 8h à 17h)*.

De la Plaza Vieja, il est possible de remonter par la Calle San Ignacio vers la Plaza de la Catedral, ou, en empruntant la Calle Mercaderes, de revenir à la Plaza de Armas.

Attraits touristiques

Le circuit du sud

Ceux qui voudraient étendre leur expérience de La Habana Vieja, tout en quittant un peu la jungle touristique qu'est devenu le circuit des grandes places, n'auront qu'à descendre vers le sud. Non seulement retrouve-t-on dans les rues de cette partie de la vieille ville nombre de sites importants, mais la vie cubaine y est plus exposée, plus authentique.

Dans les premières années de la colonie, l'aspect missionnaire et religieux de l'aventure fut considéré sérieusement, bien que La Havane n'ait pas particulièrement brillée par sa piété selon les dires de ceux qui y firent escale. Quoi qu'il en soit, après la construction des fortifications, ce sont des couvents et des églises qui marquèrent le plus clairement le paysage urbain de La Havane. Construits avec des matériaux durables et un soin particulier, ils demeurent un des plus importants testaments architecturaux de la ville. Or, si l'on peut dire que la Plaza de Armas concentra autour d'elle et de ses émules le pouvoir politique et commercial de la ville, c'est dans la partie sud de la ville *intra-muros* que se

concentra le pouvoir religieux, pouvoir dont il ne faut pas minimiser la portée.

Il faut prendre note que toutes les églises peuvent être visitées du lundi au samedi de 9h à 17h et le dimanche de 10h à 13h.

Pour une incursion dans cette partie moins connue de la ville coloniale, mieux vaut emprunter la Calle Cuba, axe autour duquel se retrouvent les principaux attraits. De cette façon, on tombe dès le départ sur l'**Iglesia San Francisco El Nuevo** *(Calle Cuba, angle Calle Amargura)*. Érigée au XVIIe siècle, elle est une des plus vieilles églises de La Havane. Elle a conservé un extérieur très typique de cette époque, mais on ne peut malheureusement pas en dire autant de son intérieur, retravaillé au milieu du XIXe siècle.

Juste à côté de l'église, le **Museo Nacional de la Historia de las Ciencias Carlos J. Finlay** *(1$; lun-ven 9h à 17h, sam 9h à 15h; Calle Cuba no 460, entre Calle Amargura et Calle Brasil, ☎863-4824)* s'est installé dans un magnifique édifice aussi construit au XVIIe siècle et qui fut jadis le couvent des augustins. Portant le nom du docteur cubain qui découvrit que la fièvre jaune, endémique partout dans l'île, était

Arco de Belén

transmise par un moustique, révélation qui permit enfin de s'attaquer directement à ce fléau, le musée s'occupe principalement de faire connaître à travers des expositions de documents et d'appareils les percées scientifiques cubaines du XIXe siècle.

Élevé entre 1638 et 1643 pour héberger les riches jeunes filles de la ville, le magnifique **Convento de Santa Clara ★★** *(2$; tlj 9h à 18h; Calle Cuba, entre Calle Sol et Calle Luz, ☎862-9683)* vaut définitivement une visite. Son patio, le plus grand de l'île, est absolument splendide. Le couvent était immensément riche et pouvait compter à la fin du XVIIIe siècle sur plus de 20 haciendas sucrières pour ses dépenses courantes. Le Centro Nacional de Restauración occupe certains locaux à travers les deux ailes du couvent, mais la plus grande partie des lieux est ouverte à la visite. Il y a sur place un petit restaurant où l'on peut se désaltérer ou prendre une bouchée.

Un autre couvent est en pleine restauration un peu à l'arrière du précédent. Le **Convento de Belén ★** et son église couvrent tout le quadrilatère entre les rues Compostela, Acosta, Picota et Luz. Érigé entre 1712 et 1718 pour la congrégation de Bethléem, il est une des plus importantes constructions baroques de la vieille ville. Bien qu'on ne puisse entrer à l'intérieur, la devanture à elle seule vaut le déplacement, surtout pour l'église, à l'angle de la Calle Luz et de la Calle Compostela. Il faut aussi jeter un coup d'œil sur l'immense arche, l'**Arco de Belén**, construite en 1772 pour relier le couvent aux bâtiments de l'autre côté de la Calle Acosta, dans la Calle Compostella. D'immenses poutres de bois soutiennent cette œuvre unique à La Havane. Et, pour ajouter au charme de la place, un marché des plus pittoresques se tient quotidiennement devant le couvent.

En revenant à la Calle Cuba, on peut admirer la superbe **Iglesia Espíritu Santo ★★★** *(Calle Cuba, entre Calle Acosta et Calle Jesús María)*. Plus vieille église de La Havane, elle fut élevée en 1638 et conserve toutes les marques de son époque. Sa devanture sévère, ses immenses portes latérales, son délicieux plafond de bois, tout s'y révèle d'un charme parfait. Il est possible de descendre sous l'autel pour y voir les catacombes. Jusqu'en 1805, date à laquelle remonte le premier cimetière de la ville, les Espagnols étaient ainsi inhumés sous les autels des églises. Presque toutes les vieilles églises de la ville ont conservé les traces de ces hypogées.

Une rue plus bas, l'**Iglesia de la Merced** *(Calle Cuba, entre Calle Jesús María et Calle Merced)* porte les traces de ses nombreuses modifications. Commencée en 1755, sa construction fut continuellement entrecoupée d'arrêts plus ou moins longs, si bien que ce n'est qu'en 1904 que l'on en acheva la décoration. Celle-ci tranche d'ailleurs avec l'extérieur austère de l'église, mais elle vaut le coup d'œil. L'immense retable de marbre frappe par sa grandeur.

Casa Natal José Martí

De la Calle Leonor Pérez, mieux connue sous le nom de «Paula», il est possible de se diriger vers l'ouest pour se rendre à la **Casa Natal José Martí ★** *(1$; mar-sam 9h* *à 17h, dim 9h à 13h; Calle Leonor Pérez n° 314, entre Avenida Egido et Calle Picota, ☎861-3778).* C'est dans cette petite maison que naquit le héros national José Martí, en 1853. Le petit musée que l'on y a installé retrace l'itinéraire de son exil de façon particulièrement intéressante et montre bon nombre d'objets lui ayant appartenu.

Presque devant la maison du chantre de l'indépendance cubaine, au bout de l'Avenida Egido, l'**Estación Central de Ferrocarriles**, construite en 1912, arbore une façade grandiose. Elle présente d'ailleurs une superbe locomotive, *La Junta*, première locomotive de la Compañía del Ferrocaril de Matanzas. C'est avec cette locomotive que l'on inaugura la ligne La Havane-Matanzas en 1843.

Pour ceux que la chose intéresse, les deux plus beaux tronçons de la vieille muraille, qui ceignait la ville jusqu'en 1863, se dressent devant la gare ferroviaire. **La Muralla** ★, qui longeait autrefois le port et suivait ensuite à l'ouest les actuelles Avenida Egido, Avenida de Bélgica et Avenida Monserrate, enserrait la cité en un monde à part. La nuit, les portes de la muraille étaient fermées, coupant effecti-

vement la vieille Havane de ses alentours, jeu que rappelle aujourd'hui la cérémonie du canon de la forteresse de la Cabaña qui a lieu à 21h tous les soirs. Quelques autres vestiges des murs ont survécu à la destruction, comme ce petit bout qui termine la Calle Brasil, mais c'est ici, au bout de l'Avenida Egido, qu'il faut venir pour apprécier la grandeur de l'entreprise. À leur vue, on peut se faire une idée de l'aspect que revêtait cette ville aux XVIIᵉ et XVIIIᵉ siècles. Le dernier grand pan de la Muralla est d'ailleurs marqué par une grande plaque de bronze qui trace les limites de la vieille ville.

En remontant vers le nord par l'Avenida San Pedro, longeant ainsi la voie d'eau, on croise la magnifique petite **Iglesia de San Francisco de Paula** ★

La Muralla

(angle Calle Leonor Pérez et Avenida San Pedro). Maintenant restaurée, elle fut initialement construite entre 1730 et 1745, et était rattachée à un hôpital du même nom. Cet hôpital, qui s'occupait spécialement de donner des soins aux femmes dans le besoin, a maintenant disparu, mais son église a survécu. Au XVIIIe siècle, elle était la plus belle église de La Havane, et sa nef a de quoi émerveiller. Il est possible d'entrer et de jeter un coup d'œil à l'intérieur et, par le fait même, de voir sa restauration.

De l'Iglesia de San Francisco de Paula à la Calle Acosta, en remontant vers la Plaza de San Francisco, l'**Almenada de Paula** s'étire le long de l'Avenida San Pedro. Première et plus importante promenade de la ville *intra-muros*, elle fut érigée dans la seconde moitié du XVIIIe siècle et demeura, jusqu'à la construction du Paseo del Prado, la promenade la plus en vogue de La Havane. Bien qu'elle manque un peu de ces grands arbres qui procurent un ombrage bienvenu, il est tout de même agréable de la traverser et d'observer la vie portuaire qui la côtoie.

Avant de rejoindre l'Iglesia y Convento de San Francisco de Asís, deux arrêts intéressants peuvent se faire. La

Fundación Havana Club *(lun-jeu 9h à 17h, ven-dim 10h à 16h; Avenida San Pedro n° 262, entre Calle Sol et Calle Luz, ☎862-4108)* est une espèce de musée du rhum. Installé dans une magnifique maison de la seconde moitié du XIXe siècle, le musée retrace toutes les étapes de l'élaboration du rhum à partir de la canne à sucre, la meilleure au monde, nous apprend-on, grâce à la qualité du sol de l'île. L'entrée est gratuite (mais la visite se termine par une dégustation qui coûte 5$).

Finalement, en quittant l'Avenida San Pedro pour revenir à la Calle Oficios, on peut visiter le **Museo Alexander De Humboldt** *(2$; mar-sam 9h à 17h, dim 9h à 12h; Calle Oficios, entre Calle Sol et Calle Muralla, ☎863-9850)*. Surnommé le second découvreur de Cuba, le baron von Humboldt installa, dans cette antique demeure, son laboratoire lors de ses deux visites dans l'île, en 1800 et en 1804. Il est possible d'y voir quelques-uns de ses dessins et de ses instruments, et de suivre son itinéraire sur les quelques cartes de l'île qui sont accrochées aux murs.

Promenade des deux forts

Entre le Castillo de la Real Fuerza, sur la Plaza de Armas, et le Castillo de San Salvador de la Punta, à l'entrée de la baie, il existe une agréable promenade d'où l'on peut mesurer l'étroitesse du goulet en regardant passer les énormes navires qui s'y glissent prudemment. La vue que l'on a sur les forts établis sur le promontoire de l'autre côté de la voie d'eau est magnifique. L'air y est toujours un peu plus frais que dans le dédale des petites rues étroites de la vieille ville. La présence des pêcheurs, debout au milieu de leurs petites embarcations flottant au gré des vagues, a quelque chose de reposant. Bien aménagée et agréable, malgré les voitures qui passent continuellement sur la grande Avenida Carlos Manuel de Céspedes, la promenade est un des plus beaux endroits pour goûter l'air de la mer et l'atmosphère de La Havane.

Un peu avant d'arriver au **Castillo de San Salvador de la Punta**, forteresse construite dans les dernières années du XVI⁰ siècle pour fermer l'entrée de la baie, la statue de **Pierre Le Moyne d'Iberville**, ce Montréalais qui expira dans les murs de la ville en 1706, montre encore à quel point la mémoire du navigateur de génie a réussi à prendre racine à La Havane.

Le **Castillo de San Salvador de la Pinta** *(5$; mer-dim 10h à 18h; ☎860-3196)* se veut un important symbole havanais; il est intégré au blason de la capitale. Commencée en 1589 par le célèbre ingénieur militaire italien Bautista Antonelli, sa construction fut terminée en 1609. Détruit durant le siège britannique de La Havane en 1762, le fort fut reconstruit par le gouvernement espagnol dès la restitution de l'île par les Anglais. Au cours de sa restauration, on y aménagea, en 2002, le **musée d'Archéologie subaquatique ★★**. En montre: une intéressante collection de monnaies et de bijoux anciens. Les immenses barres d'or et d'argent dont une pèse 12 kg, évoquent l'histoire du pillage des conquistadors. Ces trésors ont été récupérés lors de fouilles sous-marines en différentes parties du littoral cubain.

El Morro et la Cabaña

Juste de l'autre côté du goulet qui donne accès à la baie et à son port, deux des plus imposantes construc-

Attraits touristiques

L'épisode d'Iberville et l'alliance franco-espagnole

Le texte qui suit sur Pierre Le Moyne d'Iberville a été rédigé par Jean-Guy Allard, journaliste et ancien correspondant à La Havane.

Le 9 juillet 1706, une foule importante se rassemble aux abords de l'église paroissiale de La Havane. Au cours des dernières heures, la nouvelle s'est répandue comme une traînée de poudre: le capitaine général Pedro Álvarez de Villarín, récemment arrivé d'Espagne, est mort mystérieusement, presque subitement. Plus étonnant encore, au même moment et dans les mêmes circonstances, le commandant d'une puissante flotte française ancrée dans le port, le Canadien Pierre Le Moyne d'Iberville, résolu à porter un coup fatal à la présence anglaise en Amérique, est lui aussi emporté par une fulgurante attaque de fièvre.

La mort soudaine des deux hommes fait naître les rumeurs: ont-ils été empoisonnés par les Anglais? L'alliance conclue entre les deux personnages, qui voient tous deux en l'Empire britannique une menace pour tout le continent, leur a-t-elle valu d'être sournoisement exécutés par des agents ennemis?

La réputation de Pierre Le Moyne d'Iberville avait rapidement gagné la capitale cubaine depuis son arrivée à la tête d'une puissante flotte. Le Canadien de 44 ans, né rue Saint-Paul à Montréal, méritait bien sa légende. Commandant de navires de guerre, d'Iberville attaquait et réduisait à néant l'ennemi anglais avec une adresse déconcertante. Pas une seule fois, au cours d'innombrables combats, l'ennemi venu d'Angleterre ne réussit à lui faire baisser pavillon. Ses exploits étaient devenus si fameux que Louis XIV, déterminé à occuper les bouches du Mississippi, l'avait envoyé prendre possession de ce territoire devenu la Louisiane. C'est là que le jeune héros (il n'avait pas encore 40 ans) s'était convaincu d'une théorie qu'il ne cessera de défendre et qui eut un ton de prophétie: *Les Anglais ont l'esprit de la colonie. Si la France ne se saisit pas de cette partie de l'Amérique pour avoir une colonie assez forte pour résister à celle de l'Angleterre,* écrivait-il en 1699, *la colonie anglaise, qui devient très considérable, augmentera de manière que, dans moins de cent années, elle sera assez forte pour se saisir de toute l'Amérique et en chasser toutes les autres nations.*

En 1706, Philippe d'Anjou, neveu de Louis XIV, est roi d'Espagne. Le moment est stratégique, et l'alliance entre Espagnols et Français doit permettre à d'Iberville de porter aux Anglais un coup mortel. D'Iberville reçoit de la couronne française une imposante flotte et file droit sur les Antilles. À Nevis, il saisit d'un seul coup 40 navires anglais, semant la panique dans les îles Britanniques. Les Anglais ont à peine le temps d'organiser une riposte que d'Iberville est entré à La Havane, où il communique ses projets à ses hôtes. C'est alors que débarque à La Havane le nouveau capitaine général Pedro Álvarez de Villarín, séduit par les projets de D'Iberville. L'Espagnol et le Français font partager aux notables de la ville une

victoire qui leur semble acquise.

Le 8 juillet 1706, le rêve des deux alliés prend toutefois fin d'une façon aussi abrupte que mystérieuse. Les deux hommes sont surpris par une fièvre atroce les terrassant en quelques heures et meurent le 9 juillet. L'événement sème la stupeur parmi la population. L'évêque auxiliaire de La Havane, Dionizio Rozino, apparaît sous le porche de l'église dans ses habits funèbres. C'est lui qui prononcera l'oraison où, au-delà des mots et des odeurs de cire et d'encens, se devine la fin tragique d'un projet aux conséquences insoupçonnées. Avec ces deux cadavres est enterré, dans la crypte du bâtiment religieux de La Havane, le rêve d'une autre Amérique.

En 1738, un archiviste des services hydrographiques de la Marine française évoquera brièvement, en des termes eux-mêmes énigmatiques, la disparition du héros: *Il mourut empoisonné par les intrigues d'une nation célèbre qui craignait un tel voisin.*

tions militaires de La Havane dominent le paysage. Il est difficile de ne pas s'émerveiller devant la grandeur de ces monuments.

Le **Castillo de los Tres Reyes del Morro** ★★ *(3$, 2$ de plus pour visiter le phare; tlj 8h à 20h;* ☎863-7941*)* fut érigé entre 1589 et 1630, en même temps que le Castillo de San Salvador de la Punta, dont il était le complément. Les deux forts devaient conjointement protéger l'entrée du port des pirates et de leurs attaques. C'est un splendide fortin compact et sévère qui abrite maintenant un musée maritime qui fait justement bonne place à l'histoire de la piraterie. Le phare qui jette sur la mer et la ville ses longues colonnes de lumière fut construit en 1845, et il n'a cessé de fonctionner depuis.

Lorsque, le 30 juillet 1762, le Castillo del Morro tomba aux mains des Anglais, le sort de la ville en était jeté. En effet, du moment où celui-ci fut perdu, rien n'empêcha plus l'armée anglaise de monter sur la crête de roche qui domine La Havane au sud du Morro et, de là, de bombarder allègrement l'intérieur des murs de la ville. C'est précisément pour éviter qu'un tel désastre ne se reproduise que fut érigée, entre 1763 et 1774, la **Fortaleza San Carlos de la Cabaña** ★★★ *(3$, 4$ avec concert de musique populaire ven-sam après 18h; tlj 9h à 21h;* ☎862-0617 ou 863-7063*)*. La Fortaleza est un endroit extrêmement agréable où l'on peut se promener tranquillement des heures durant. Des murs de ce qui fut l'une des principales citadelles du Nouveau Monde, on a une vue saisissante sur les alentours, tant du côté de La Havane que du côté de Cojimar, à l'ouest, d'où arrivèrent les

Castillo de los Tres Reyes del Morro

Alexander von Humboldt et La Havane

Le célèbre voyageur Alexander von Humboldt a laissé un portrait saisissant bien que peu flatteur de cette ville qu'il connaissait bien. Voici ce qu'il en dit dans son *Essai Politique sur l'île de Cuba*, publié en 1826:

Les grands édifices de la Havane, la cathédrale, la Casa del Govierno, *la maison du commandant de la marine, l'arsenal, le Correo ou hôtel des postes, la factorerie du tabac, sont moins remarquables par leur beauté que par la solidité de leur construction: la plupart des rues sont étroites, et le plus grand nombre ne sont point encore pavées. [...] À l'époque de mon séjour* [l'auteur parle ici de son second séjour, au printemps de l'année 1804], *peu de villes de l'Amérique espagnole offroient, par le manque de bonne police, un aspect plus hideux. On marchoit dans la boue jusqu'au genou; la multitude de calèches ou* volantes, *qui sont l'attelage caractéristique de la Havane, les charrettes chargées de caisses de sucre, les porteurs qui coudoyoient les passans, rendoient fâcheuse et humiliante la position d'un piéton. L'odeur du* tassajo *ou de la viande mal séchée empestoit souvent les maisons et les rues tortueuses.*

La ville de la Havane proprement dite, entourée de murailles, n'a que 900 toises de long et 500 toises de large, et cependant plus de 44,000 ames, dont 26,000 nègres et mulâtres, se trouvent entassés dans une enceinte si étroite.

Ceux qui en ont les moyens délaissent la ville pour de meilleurs lieux:

De la Punta à San Lazaro, de la Cabaña à Regla, et de Regla à Atarès, tout est couvert de maisons: celles qui entourent la baie sont d'une construction légère et élégante. On en trace le plan, et on les commande aux États-Unis, comme on commande un meuble. Tandis que la fièvre jaune règne à la Havane, on se retire dans ces maisons de campagne et sur les collines entre Regla et Guanavacoa, où l'on jouit d'un air plus pur.

Cela dit, il a quelques bons mots pour les deux belles promenades de la ville, l'Alamada (la Almenada de Paula) entre l'hospice de Paula et le théâtre, et le «passeo extra muros» (Prado), entre le Castillo de la Punta et la Puerta de la Muralla, qui est «d'une fraîcheur délicieuse».

Anglais lors de la campagne qui mena à la prise de la ville.

Baraquement pour les quelques milliers de soldats stationnés en ces lieux pendant la période coloniale, la forteresse servit de prison durant les guerres d'indépendance du XIXe siècle et sous les dictatures de Machado et de Batista. De nombreux révolutionnaires y perdirent la vie dans des conditions atroces. Ernesto Che Guevara y installa ses quartiers généraux à la suite de la prise du fort par les «barbus» le 2 janvier 1959, et un petit musée, le **Museo de la Comandancia del Che ★**, relate cet épisode. Le musée renferme de nombreux documents et moult photos sur cette période et sur l'expérience cubaine du Che. La forteresse abrite aussi un **Museo de la Historia Militar**, réparti en plusieurs salles, qui en relate l'histoire de la construction et qui présente une collection impressionnante d'armes, toutes époques confondues.

Tous les soirs, à 21h, se tient à la Fortaleza San Carlos de la Cabaña une étrange cérémonie. Des hauteurs qui dominent la ville, des fantassins habillés des couleurs de l'Espagne y tirent en effet un coup de canon. Ce geste rappelle l'acte solennel qui annonçait jadis l'ouverture et la fermeture des portes de la ville. À l'origine, il y avait deux coups de canon, l'un le matin et l'autre le soir, mais les Américains les ont remplacés par un seul coup dès leur prise de possession de la ville, histoire de bien marquer le changement de régime.

Pour visiter les deux forts, il faut bien sûr traverser le tunnel qui passe sous le goulet. Pour ce faire, on doit prendre soit un taxi ou, si l'on préfère, un des nombreux autobus qui s'arrêtent devant la statue de Máximo Gómez, tout près du Castillo de la Punta. En débarquant au premier arrêt de l'autre côté du tunnel, il ne reste qu'une petite marche à faire pour arriver à l'un ou l'autre des deux forts.

Casablanca, Regla et Guanabacoa

De la vieille ville, il est possible de faire quelques excursions de l'autre côté de la baie. La traversée en bateau se révèle la seule intéressante en ce qu'elle donne une perspective particulière sur ce havre qui a fait la grandeur de La Havane. Les navettes maritimes qui transportent les passagers à travers la baie partent tous d'un même endroit, soit le Muelle Luz,

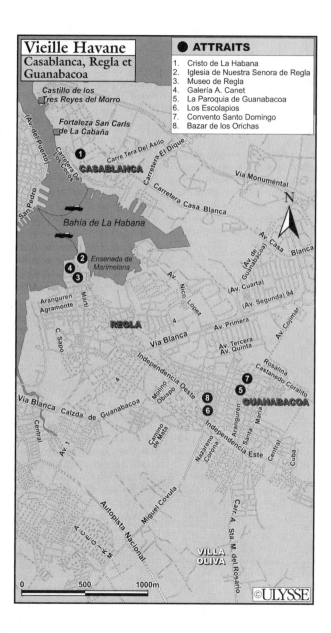

Vieille Havane
Casablanca, Regla et Guanabacoa

● ATTRAITS

1. Cristo de La Habana
2. Iglesia de Nuestra Senora de Regla
3. Museo de Regla
4. Galería A. Canet
5. La Paroquia de Guanabacoa
6. Los Escolapios
7. Convento Santo Domingo
8. Bazar de los Orichas

Castillo de los Tres Reyes del Morro

Fortaleza San Carls de La Cabaña

Carretera De Los Cocos

(Av. del Puerto)

Carre Tera Del Asilo

Carretera El Dique

CASABLANCA

Via Monumental

Carretera Casa Blanca

San Pedro

Bahía de La Habana

Ensenada de Marimelena

Av. de Casa Blanca

Av. Casa Blanca

(Av. de Guanabacoa)

(Av. Cuarta)

(Av. Segunda) 94

Aranguren Agramonte

Marti

C. Sapo

REGLA

Av. Nico López

Av. Primera

Via Blanca

Av. Tercera
Av. Quinta

Av. Colimar

Independencia Oeste

Rosalina
Castanedo Coralito

Via Blanca

Calzda de Guanabacoa

Molino
Obispo

GUANABACOA

Aranguren

Santa Maria

Central

Camino De Mata

Independencia Este

Cuba

Nazareno
Corona

Central

Miguel Covula

Carr. A. Sta. M. del Rosario

Autopista Nacional

VILLA OLIVA

0   500   1000m

©ULYSSE

sur l'Avenida San Pedro, entre la Calle Santa Clara et la Calle Luz. Les bateaux quittent la jetée toutes les 15 min, et la traversée ne coûte que 10 centavos par personne.

La navette maritime de **Casablanca** ★ mène vers cette petite agglomération paisible d'où il est possible de grimper jusqu'au **Cristo de La Habana**, sur la colline qui domine la municipalité. La sculpture, terminée en 1958, est d'un intérêt relatif malgré ses 18 m, mais la vue que l'on a de son site sur la ville et sur la baie est imprenable. Il y a là-haut un petit restaurant où il est possible de se rafraîchir et de faire un repas léger.

D'autre part, toujours de la Muelle Luz, il est aussi possible de prendre un traversier pour Regla, petite municipalité historique de l'autre côté de la baie, et, de là, de continuer vers Guanabacoa, quelque 5 km plus loin. Ces deux municipalités sont connues pour leurs liens avec la *santería*, cette religion d'origine africaine.

Regla ★ a pris vie en 1687 avec l'établissement d'un petit ermitage qui fut remplacé au cours du XVIIIe siècle par l'**Iglesia de Nuestra Senora de Regla** ★ *(Calle Santuario)*. Construite sur une petite pointe s'avançant dans la baie, cette église est magnifique. Son retable avec la noire Virgen de Re-

La *santería*

La principale religion afro-cubaine est connue sous le nom de *santería*. Elle découlerait directement des cultes nigérians des Yorubas. Religion animiste qui fait une grande place aux esprits, ici appelés Orishas, en son sein s'est opéré un étonnant syncrétisme sur la base des similarités découvertes entre les esprits du panthéon yoruba et les saints de la religion catholique romaine. Les *santeros*, maîtres de cérémonies et devins, sont les officiants de ce culte. Ils sont traités à La Havane avec le plus grand respect tant par les pratiquants que par les non-pratiquants.

gla, patronne de la baie de La Havane, frappe par sa beauté.

Le **Museo de Regla ★** *(3$ visites guidées, 5$ visites spécialisées; mar-sam 9h à 17h, dim 9h à 13h; Calle Martí, entre Calle Factiolo et Calle La Piedra, ☎97-6989)*, situé tout près de l'église, fait une grande place au syncrétisme qui caractérise les religions afro-cubaines. Aménagé dans une vieille demeure du XIXe siècle, il présente aussi des objets de l'époque coloniale, mais ce sont les salles dédiées aux Orishas et à leur culte qui demeurent les plus intéressantes. Le prix d'entrée donne droit à une visite de l'annexe du musée, juste à côté de l'église.

Pour ceux qui s'intéressent à l'art contemporain cubain, la **Galería A. Canet** *(mar-dim 9h à 17h; Calle Facciolo nº 167, angle Calle Maceo)* vaut un arrêt. Dans une maison historique qui date de 1825, la galerie-atelier de l'artiste Antonio Canet, ancien membre du groupe Orígenes, présente des lithographies et des œuvres à l'acrylique.

De Regla, il est possible de pousser un peu plus avant et de se rendre jusqu'à la petite ville de Guanabacoa. Il n'y a qu'à prendre l'autobus n° 29, qui s'arrête devant le parc faisant face à la galerie A. Canet, à l'angle de la Calle Martí et de la Calle Facciolo, ou un tricycle, appelé *cyclo*, pour seulement 1$.

La ville de **Guanabacoa ★★** semble sortie d'un autre temps. Son rythme est celui des petites villes endormies de l'île. Son caractère colonial et son architecture, bien qu'un peu délabrée, ressortent à chaque coin de rue. Le centre de la municipalité est la Plaza Martí, à l'angle des rues Pepe Antonio et Martí, près de laquelle repose la vieille église de **La Paroquia de Guanabacoa ★**. Construite entre 1728 et 1748, celle-ci est magnifique tant de l'extérieur que de l'intérieur. Le retable et le plafond sont à couper le souffle.

Deux autres églises méritent aussi d'être visitées. **Los Escolapios** *(Calle Máximo Gómez, angle Calle San Antonio)*, érigée vers la fin du XVIIIe siècle, a également un riche plafond, et les peintures murales de sa sacristie sont très belles. Mais la palme revient au **Convento Santo Domingo ★★** *(Calle Santo Domingo, angle Calle El Lebredo)*. Érigée vers 1748, l'église du couvent, avec ses plafonds splendides, repose devant une petite place à l'architecture charmante. Elle est d'ailleurs entrée de plain-pied dans l'histoire de la ville avec l'occupation

Attraits touristiques

des lieux par les Anglais en 1762. Les saints de l'église auraient alors donné du fil à retordre aux envahisseurs en provoquant quelques accidents de nature surnaturelle... Guanabacoa est d'ailleurs célèbre pour la guérilla que le Créole noir Pepe Antonio mena derrière les lignes ennemies durant les durs combats qui firent plier la ville.

Pour revenir à Regla et prendre le bateau, il faut monter de nouveau dans l'autobus n° 29, à côté de La Paroquia, ou prendre un tricycle à 1$.

Circuit B: Le Prado et le Parque Central

Après la vieille ville, le secteur qui s'étire du Paseo de Martí, mieux connu sous le nom de Prado, au Parque Central, est celui qui regroupe le plus d'attraits. D'une autre époque, son histoire, et surtout son architecture, le différencient clairement d'avec La Havane baroque *intra-muros*. La Havane devient ici néoclassique, teintée d'Art nouveau et d'un soupçon d'Art déco. Elle est un tout aux accents d'une métropole stylisée et hautement civilisée.

Pour passer des grandes places de la vieille ville à ce

secteur, le mieux est d'emprunter l'une ou l'autre des deux artères achalandées que sont la Calle Obispo et la Calle O'Reilly. Ces rues mènent directement au Parque Central, cœur de la ville dès le milieu du XIXe siècle.

Le Parque Central

Le Parque Central devint, après que la vieille ville eut brisé l'étau de ses murs qui l'enfermaient inconfortablement, le centre politique et économique de La Havane. L'endroit est particulièrement agréable avec ses grands arbres, sa vie urbaine et sa perspective sur quelques-uns des plus beaux édifices néocoloniaux de la ville. Malgré la circulation parfois lourde de part et d'autre du parc, on ne s'y sent jamais étouffé. L'**Estatua de José Martí**, qui se dresse au milieu du parc, fut élevée en 1905 et serait la plus vieille statue de Martí à avoir été dévoilée dans toute l'île de Cuba.

De tous les bâtiments qui entourent le parc, le plus beau est probablement le **Palacio del Centro Gallego** ★★, qui abrite le **Gran Teatro de La Habana** *(2$; tlj 9h à 17h; Paseo de Martí, angle Calle San Rafael, ☎861-3077)*. Témoin de la vivacité de la

Calle O'Reilly

On est en droit de se demander comment l'une des rues les plus importantes de La Havane en est venue à porter un nom aussi irlandais qu'O'Reilly. Cette artère tient son nom d'un dénommé Alejandro O'Reilly, soldat irlandais né à Dublin en 1725, qui joignit l'armée espagnole à l'âge précoce de 10 ans. C'est comme officier qu'il accompagna le Conde de Ricla lorsque celui-ci vint reprendre La Havane de la main des Anglais, en accord avec les clauses du traité de Paris de 1763. Expert en fortifications, il participa à l'élaboration des plans et à la construction de la Fortaleza de San Carlos de La Cabaña. Avant de s'éteindre, en 1794, il reçut le titre de Conde de O'Reilly. Le clan O'Reilly devint rapidement l'un des plus prospères et des plus puissants de la colonie.

communauté espagnole au lendemain de l'expulsion de l'Espagne, le centre galicien a ouvert ses portes en 1915 et est depuis l'un des phares culturels de la ville, surtout en ce qui concerne la danse, le ballet national de Cuba y ayant élu domicile. Le style de l'édifice est assurément éclectique, mélangeant avec goût néoclassicisme, Art nouveau, Renaissance française et rococo. L'intérieur est tout aussi incroyable que l'extérieur.

Juste à côté du Centro Gallego, de l'autre côté de la Calle San Rafael, se trouve un autre fleuron de l'architecture néoclassique de La Havane, l'**Hotel Inglaterra**. Terminé en 1875, ce fut le premier hôtel de luxe de la ville. Cette fois, son intérieur chaud et coloré tranche franchement avec son extérieur rigoureux. Le style est ici évidemment andalou avec ses azulejos bleus qui donnent au tout un air tout à fait charmant.

De l'autre côté du Parque Central, deux édifices magnifiques renvoient vers un néoclassicisme plus formel. La **Manzana de Gómez**, terminée en 1910, borde la

Attraits touristiques

Calle Agramonte entre la Calle Obispo et la Calle Progreso. Cette bâtisse abritait au cours des premières années du XXe siècle un vaste marché. Elle renferme encore de nombreux magasins, aucun n'étant malheureusement d'un grand intérêt. L'intérieur en est d'ailleurs décevant.

De l'autre côté de la Calle Obispo, toujours sur la Calle Agramonte, **El Palacio del Centro Asturiano** ★ éclate de toute sa grandeur. Immense édifice néoclassique dont les quatre tourelles ornent le ciel, il fut inauguré en 1928. Il y a quelque temps, il logeait la Cour suprême du pays. Depuis sa restauration, il renferme la collection consacrée à l'art universel du **Museo Nacional de Bellas Artes** ★★★ (voir p 125).

Au nord du Parque Central, le boom hôtelier des dernières années a fait apparaître trois hôtels: l'Hotel Parque Central, l'Hotel Plaza et, à l'angle de la Calle Neptune et du Prado, le charmant Hotel Telégrafo, plein d'histoire et de charme.

L'est du Parque Central s'ouvre encore sur un des édifices les plus massifs de la ville, le Capitolio (voir ci-dessous).

Le Capitolio et le Parque de la Fraternidad

Inauguré en 1929 par le dictateur Gerardo Machado, le **Capitolio** ★★★ *(3$; tlj 9h à 17h; Paseo de Martí, entre Avenida Dragones et Calle San Martín, ☎860-3411)* fut le siège du Sénat et de la Chambre des représentants jusqu'à la révolution de 1959. Inspiré du capitole de Washington autant que de la basilique Saint-Pierre de Rome et des Invalides à Paris, l'édifice est remarquable par sa grandeur. Il n'y a qu'à en gravir les marches flanquées de ses deux grandes statues de bronze de l'artiste italien Zanelli pour se sentir envelopper par sa masse. Aujourd'hui, aux étages inférieurs et supérieurs, se trouvent des bureaux et des salles de conférences qu'utilise le ministère des Sciences et de la Technologie. Mais l'étage mitoyen est ouvert au public. Une visite guidée vaut certainement la peine, et un simple regard à l'intérieur vous en convaincra. L'immense statue de la République de 17 m, troisième statue intérieure de bronze en importance au monde, ne constitue qu'une de ses incomparables surprises.

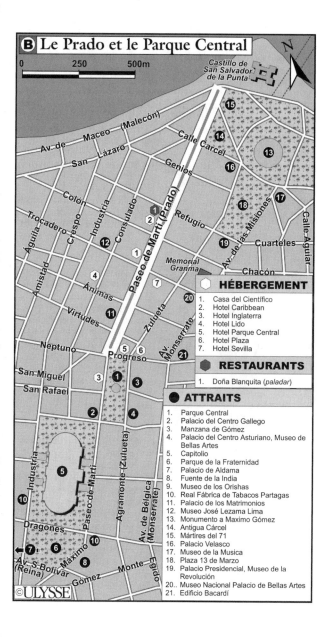

B Le Prado et le Parque Central

0   250   500m

Castillo de
San Salvador
de la Punta

N

Av. de Maceo (Malecón)
San Lázaro
Calle Cárcel
Genios
Colón
Trocadero
Crespo
Aguila
Amistad
Industria
Consulado
Paseo de Martí (Prado)
Refugio
Ánimas
Virtudes
Memorial Granma
Neptuno
Zulueta
Av. de las Misiones
Cuarteles
Calle-Aguiar
Chacón
San Miguel
San Rafael
Progreso
Av. Monserrate
Agramonte (Zulueta)
Av. de Bélgica (Monserrate)
Industria
Paseo de Martí
Dragones
Máximo
Av. S.Bolívar (Reina)
Gómez
Monte
Egido

© ULYSSE

⬠ HÉBERGEMENT

1. Casa del Científico
2. Hotel Caribbean
3. Hotel Inglaterra
4. Hotel Lido
5. Hotel Parque Central
6. Hotel Plaza
7. Hotel Sevilla

⬡ RESTAURANTS

1. Doña Blanquita (paladar)

● ATTRAITS

1. Parque Central
2. Palacio del Centro Gallego
3. Manzana de Gómez
4. Palacio del Centro Asturiano, Museo de Bellas Artes
5. Capitolio
6. Parque de la Fraternidad
7. Palacio de Aldama
8. Fuente de la India
9. Museo de los Orishas
10. Real Fábrica de Tabacos Partagas
11. Palacio de los Matrimonios
12. Museo José Lezama Lima
13. Monumento a Maximo Gómez
14. Antigua Cárcel
15. Mártires del 71
16. Palacio Velasco
17. Museo de la Musica
18. Plaza 13 de Marzo
19. Palacio Presidencial, Museo de la Revolución
20. Museo Nacional Palacio de Bellas Artes
21. Edificio Bacardí

Le **Parque de la Fraternidad**, au bout du Prado, reçut son nom au lendemain de la Conférence panaméricaine qui se tint à La Havane en 1928. Un arbre fut alors planté en son centre en un mélange de terre provenant de tous les pays ayant envoyé des délégués à la conférence. L'arbre y est toujours, entouré d'une haute clôture noire. Le parc est quant à lui devenu un carrefour important pour le transport en commun de la ville, et tous les autobus semblent y converger. C'est un endroit intéressant bien qu'un peu bruyant.

Falot du Palacio de Aldama

Du côté ouest du Parque de la Fraternidad, sur la Calle Amistad, à l'angle de l'Avenida Simón Bolívar, un superbe édifice vaut le détour. Le **Palacio de Aldama** ★ est considéré comme l'un des plus beaux exemples néoclassiques de la ville. Bâti entre 1840 et 1845, le palais fut la propriété de la famille Aldama jusqu'en 1870. En cette année, contre accusation de conspiration, il fut retiré à son propriétaire, Miguel Aldama, qui s'était réfugié aux États-Unis pour ramasser de l'argent afin d'entretenir les forces rebel-

les de l'Oriente. Dès lors, il remplit de nombreuses fonctions avant d'être transformé en édifice à bureaux. Aujourd'hui il loge le Département des monuments de la Direction du patrimoine culturel. Bien qu'il ne soit théoriquement pas permis de visiter la maison, un coup d'œil sur son extérieur massif et sur son entrée parée de deux immenses lanternes n'est pas sans effet.

De l'autre côté du Parque de la Fraternidad, la **Fuente de la India** demeure un des symboles durables de La Havane. De marbre blanc, et réalisée en 1831 par le sculpteur italien Giuseppe Gaggini, cette fontaine se tient un peu à l'écart, comme perdue au milieu du bruit et des odeurs d'essence.

À l'est de la fontaine de l'Inde se trouve le **Museo de los Orishas** *(10$; tlj 9h à 17h; Paseo de Martí/Prado, entre Calle Máximo Gómez et Calle Dragones, ☎863-5953)*. Le prix d'entrée comprend une visite intéressante qui permet de mieux apprécier le phénomène religieux des Orishas (les dieux du panthéon yoruba) et leurs liens avec les religions afro-cubaines.

Finalement, il semble que l'on ne puisse visiter La Havane sans s'intéresser aux cigares du même nom. Juste derrière le Capitolio se dresse une des grandes fabriques de cigares de la ville, la **Real Fábrica de Tabacos Partagas** *(10$; lun-sam 9h à 17h; Calle Industria n° 520, entre Calle Dragones et Calle Barcelona)*, fondée en 1845. Elle est ouverte au public moyennant une «modeste» contribution de 10$!

Le Prado

Le Prado, ou Paseo de Martí, inauguré en 1772 sous le nom d'Alameda de Extramuros, est devenu au XIXe siècle la principale promenade de La Havane. De chaque côté de son allée centrale s'élevèrent alors des maisons bourgeoises qui reflétaient la nouvelle richesse apportée par la culture de la canne. Sous sa forme actuelle, qui remonte à 1928, elle reste un des endroits les plus agréables de la ville. De plus, si vous désirez faire connaissance avec les gens du quartier, asseyez-vous sur un des bancs de pierre à l'ombre des grands arbres.

Peu de ces belles maisons qui bordent la promenade sont ouvertes au public. Le **Palacio de los Matrimonios ★**

(Prado n° 302, entre Calle Ánimas et Calle Virtudes) n'est ouvert que les samedis pour la célébration des mariages civils, mais il vaut la peine de faire un effort pour s'y rendre. La maison qui abrite le Palacio fut construite en 1914 et comprenait alors le casino espagnol, autre indice de la survivance et de l'opulence de la communauté espagnole après la proclamation de la République. Le second étage est absolument à voir. Le plafond richement décoré et les peintures à caractère historique qui décorent ses murs lui confèrent une magnificence hors pair.

Bien que techniquement dans le Centro, un petit musée que nous ajoutons ici pour raison de proximité, attirera ceux qui sont intéressés par la littérature et l'art cubains en général. Le **Museo José Lezama Lima ★** *(2$; mar-sam 9h à 17h, dim 9h à 13h; Calle Trocadero n° 162, entre Calle Industria et Calle Consulado, ☎863-3774)* s'est installé dans les quelques petites pièces qu'occupa l'écrivain durant 49 ans, soit de 1927 à 1976, année de sa mort. En plus d'objets personnels ayant appartenu à ce génie des lettres, le musée a conservé la majeure partie des œuvres d'art qu'il collectionna de son vivant. Il s'agit là d'une belle perspective sur l'art moderne cubain.

Attraits touristiques

L'attaque du Palais présidentiel

Le 13 mars 1957 eut lieu l'un des événements marquant de la lutte révolutionnaire à Cuba. Ce jour-là, à 15h, un commando du Directorio Revolucionario commandé par José Antonio Echeverría attaqua le Palais présidentiel. Le but de cette offensive était de mettre brutalement un terme aux jours du dictateur Fulgencio Batista. Contrairement au M-26-7 de Castro, qui soutenait que seule une guérilla de longue haleine pouvait mettre fin à la dictature, le Directorio voulait décapiter le régime en lui enlevant sa tête dirigeante.

Bien armé et bien organisé, le commando était divisé en trois groupes. Le premier devait attaquer le Palais présidentiel et se rendre, au premier étage, au bureau de Batista afin de l'éliminer; simultanément, un second groupe, commandé par Echeverría lui-même, devait occuper la station de radio CMQ et annoncer la mort de Batista, nouvelle qui, espérait-on, provoquerait un soulèvement populaire contre les forces de l'ordre; finalement, le troisième groupe devait prendre position sur les toits du Palacio de Arte, de l'hôtel Sevilla-Biltmore et de différents autres édifices des alentours du palais pour prévenir ou ralentir toute arrivée de renfort.

Le plan était basé sur trois présomptions: d'abord que Batista serait bien dans le bureau exécutif au premier étage; deuxièmement, que la garde personnelle du dictateur serait prise par surprise et facilement soumise; et, troisièmement, que le centre de communications situé au rez-de-chaussée serait détruit dès les premières minutes de l'engagement. Dans les faits, il n'en fut pas ainsi. Les quelque 50 personnes qui participèrent à l'assaut perdirent l'avantage de la surprise dès le début de l'affrontement, alors que la résistance des soldats fut plus marquée que prévu. On n'arriva donc pas à empêcher que ne soit envoyé un message demandant du renfort, ce qui allait avoir des conséquences funestes pour les attaquants.

Et, comble de malchance, Batista se trouvait au moment de l'offensive dans son petit bureau privé situé au second étage, près de ses quartiers résidentiels, et non pas là où l'on prévoyait le trouver. Incapable de mettre la main sur Batista, l'attaque du palais tourna en déroute et se termina dans un véritable bain de sang. Echeverría y perdit la vie, tout comme une majorité des assaillants, durant ou après l'assaut, les soldats ne faisant pas de quartier.

La riposte de Batista à cet attentat fut sanglante, et elle laissa le mouvement révolutionnaire urbain du Directorio Revolucionario dans un état de désorganisation complet. Dès ce moment, il n'y eut plus rien ni personne pour disputer à Fidel Castro et à son M-26-7 la tête du mouvement révolutionnaire. Mais l'attaque, si elle n'atteignit pas son but premier, eut au moins le mérite de briser le mythe d'invulnérabilité qui entourait la personnalité de Batista. Il était clair pour tous que seule la chance l'avait cette fois sauvé d'une mort certaine. On dit qu'à partir de ce moment même les *santeros* changèrent leurs fusils d'épaule, convaincu que les Orichas avaient décidé de ne plus se charger de la protection du dictateur.

Le Prado débouche au nord sur le célèbre Malecón, tout près de la Fortaleza San Carlos de la Cabaña. Sur la droite s'ouvre alors une série de parcs sur lesquels veille l'immense **Monumento a Máximo Gómez**, ce Dominicain d'origine qui combattit du côté des rebelles cubains durant les deux guerres d'indépendance du XIXe siècle et qui fut, avec Martí et Maceo, le grand responsable de la victoire sur l'Espagne. De ce monument, on a une vue imprenable sur le palais présidentiel.

Sur le côté ouest des parcs, on peut toujours voir les restes de l'**Antigua Cárcel** de La Habana, construite en 1835 pour débarrasser le Palacio de los Capitanes Generales de ses indésirables invités. Cette prison fut, au moment de sa construction, la plus grande de toute l'Amérique latine. Un de ses murs a été utilisé pour faire le monument aux **Mártires del 71**, monument élevé à la mémoire de ces étudiants en médecine qui ont été exécutés en ces lieux pour avoir profané la tombe du propriétaire d'un journal pro-espagnol.

Juste à l'angle de la Calle Zulueta et de la Calle Cárcel se dresse un des plus beaux édifices Art nouveau de la capitale: le **Palacio Velasco**. Bâti en 1912, le palais loge maintenant l'ambassade d'Espagne.

De l'autre côté de la Plaza 13 de Marzo (voir ci-dessous), à l'angle de l'Avenida de las Misiones, le **Museo de la Música** ★ *(2$; lun-sam 9h à 17h; Calle Capdevila nº 1, entre Calle Habana et Calle Aguiar, ☎33-9595)* est certainement à voir. Aménagé dans une vieille maison remontant aussi au début du XXe siècle, le musée donne une excellente idée de l'évolution de la musique cubaine et des formations qui la rendirent célèbre. Une salle particulièrement intéressante, la salle Fernando Ortiz, du nom du célèbre anthropologue cubain, présente un grand nombre d'instruments à percussion afro-cubains ayant fait partie de sa collection privée.

Entre le Palacio Velasco et le Museo de la Música s'étend la **Plaza 13 de Marzo**, ainsi nommée en mémoire de l'attaque du *Directorio*

Revolucionario sur le palais présidentiel le 13 mars 1957. Elle donne directement sur le **Palacio Presidencial** ★★★, une magnifique construction éclectique qui marie encore une fois néo-classicisme et Art nouveau. De son balcon s'adressèrent aux habitants de La Havane plusieurs personnalités politiques, telles que Grau San Martín et Fidel Castro. Construit entre 1913 et 1920, le palais abrite maintenant le **Museo de la Revolución** *(4$; tlj 10h à 17h; Calle Refugio nº 1, entre Avenida de las Misiones et Calle Zulueta; ☎862-4093)*, musée sans faille qui occupe les plus belles pièces de ce magnifique bâtiment. La visite en vaut définitivement la peine. Retraçant le long chemin parcouru par les éléments révolutionnaires de la société cubaine jusqu'au renversement définitif de Batista dans les premiers jours de 1959, le tout illustré de nombreuses coupures de journaux, de documents et de diverses pièces allant du couteau de poche anonyme au mulet empaillé du Che, le musée constitue un arrêt essentiel pour qui s'intéresse à l'histoire de Cuba.

Rattaché au musée de la Révolution, le **Memorial Granma** exhibe le yacht *Granma* qui transporta Castro et ses 81 compagnons (dont Che Guevara) du Mexique à Cuba en 1956.

Le bateau est placé à l'intérieur d'une étrange boîte de verre autour de laquelle, vaguement ordonnés, gisent d'autres symboles de la guerre civile. On accède au mémorial par le Museo de la Revolución.

Le **Museo Nacional de Bellas Artes** ★★★ comporte deux édifices. La collection consacrée à l'art universel est présentée au magnifique **Palacio del Centro Asturiano** ★ (voir p 118) *(5$ pour un musée; 8$ pour les deux; mar-sam 10h à 18h, dim 10h à 14h; Calle San Rafael, entre Parque Central et Calle Bélgica ou Calle Monterrate, ☎861-3858)*. Vous y trouverez la plus grande collection de céramiques grecques et romaines d'Amérique latine.

Une salle est consacrée à l'art de l'Égypte, tandis qu'une section retrace l'évolution de l'art européen depuis le XVIe jusqu'au XIXe siècle. On peut aussi visiter d'autres salles consacrées à l'art asiatique, à la peinture nord-américaine ou à l'art européen du XXe siècle.

La collection de l'art cubain se trouve toujours dans l'ancien édifice (rénové) du **Museo Nacional de Bellas Artes** ★★★ *(mar-sam 10h à 18h, dim 10h à 14h; Calle Trocadero, entre Calle Zulueta et Calle Monteserrate, ☎863-9484)*. La salle coloniale expose des œuvres repré-

sentant principalement des paysages cubains du XIXe siècle, et des gravures de la même époque témoignent de la vie et de l'architecture de la capitale. On y trouve aussi des œuvres datant du XVIe siècle. Portez votre attention sur les gravures du XVIIIe siècle de José Nicolás de Escalera, considéré comme le premier peintre cubain, et surtout sur celles de Vicente Escobar. Ce dernier est le plus connu de son époque puisqu'il était le peintre officiel des capitaines généraux, et ses toiles représentent des personnalités de La Havane.

La légende veut que Vicente Escobar ait été le protégé de Goya lors de son séjour en Espagne, quoique aucun document ne prouve cette amitié. La salle contemporaine cubaine est à ne pas manquer. Si la peinture depuis la *vanguardia* en 1920 jusqu'à 1970 vous intéresse, votre attention se portera naturellement sur les œuvres de Raúl Martínez. Suivant le style pop art inspiré d'Andy Warhol, Raúl Martínez a fouillé dans l'imaginaire populaire de la Révolution. La superbe peinture qui représente le Che et les principaux artisans et inspirateurs de la Révolution (Castro, Maceo, Martí, Cienfuegos) est l'un de ses chefs-d'œuvre.

En descendant par l'Avenida Monserrate, juste avant de rejoindre la Calle O'Reilly à la limite des vieux murs, vous verrez l'un des édifices les plus intéressants de la ville, l'**Edificio Bacardí** ★ *(Avenida de Bélgica n° 261, angle Calle San Juan de Dios)*. Construit en 1930, ce magnifique édifice Art déco tranche franchement avec ce qui l'entoure. Rénové il y a quelque temps, il est occupé par des sièges sociaux de compagnies étrangères aux projets mixtes. Il demeure tout de même possible d'y entrer pour voir le hall, et un petit café-bar a été aménagé au premier, sur la droite en entrant, dans ce qui fut un petit bar privé. Ouvert de 8h à 20h du lundi au vendredi, ce petit bar est l'endroit idéal pour prendre un verre en fin de journée ou pour manger une bouchée vite fait.

Circuit C: Le Centro

Pour plusieurs, le Centro n'est qu'un espace encombrant entre la vieille ville et le Vedado. Il s'agit pourtant de l'un des meilleurs endroits pour se faire une idée de ce qu'est réellement la vie cubaine. Le cœur de La Havane y bat de son rythme propre, et l'expérience y est d'un tout autre ordre que celle de La Habana Vieja. Il peut donc être agréable de se promener dans ce quartier animé.

Le Centro se présente généralement comme étant limité à l'est par le Prado et le Capitolio, et à l'ouest par la Calzada de Infanta. Il n'est pas marqué par une architecture particulièrement intéressante. Autrefois centre commercial de la ville, le Centro compte certaines artères qui ont gardé les traces de leur passé mercantile. La **Calle San Rafael** était, sous la République, la rue du magasinage dans le Centro. Voie piétonnière, elle commence entre l'Hotel Inglaterra et le Gran Teatro, et va jusqu'à la Calle Galiano. Il n'y a plus grand-chose à acheter, mais il est intéressant de voir ces devantures de magasins des années 1940 et 1950 avec leurs marques de commerce américaines et leurs néons d'un autre temps.

Deux portes ont été construites pour signaler la présence chinoise dans le quartier. Celle nommée **Pórtico Chino**, qui enjambe la Calle Dragones à la hauteur de la Calle Amistad, est la plus imposante. Pesant plus de 30 000 kg, et d'une hauteur de 13 m c'est la plus grande porte chinoise de ce genre au monde. Par comparaison, celle qui marque l'entrée du Barrio Chino,

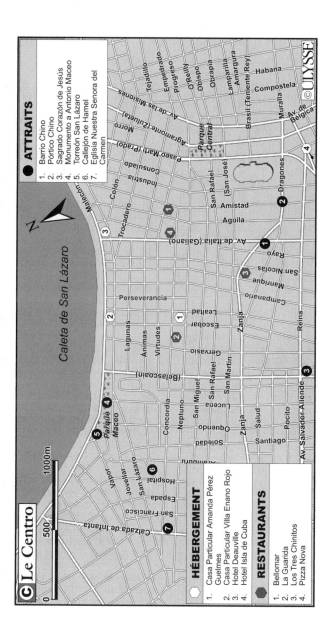

C Le Centro

© ULYSSE

ATTRAITS

1. Barrio Chino
2. Pórtico Chino
3. Sagrado Corazón de Jesús
4. Monumento a Antonio Maceo
5. Torreón San Lázaro
6. Callejón de Hamel
7. Eglisia Nuestra Senora del Carmen

HÉBERGEMENT

1. Casa Particular Amanda Pérez Guelmes
2. Casa Particular Villa Enano Rojo
3. Hotel Deauville
4. Hotel Isla de Cuba

RESTAURANTS

1. Bellomar
2. La Guarida
3. Los Tres Chinitos
4. Pizza Nova

Caleta de San Lázaro

N

0   500   1000m

Monument dédié aux Chinois

sur la Calle Cuchillo de Zanja, est minuscule.

La Calle Galiano, aussi appelée Avenida de Italia, prolonge un peu la Calle San Rafael. Si l'on descend celle-ci vers le sud, on arrive tout près du **Barrio Chino** *(Calle Cuchillo, entre Calle San Nicolás et Calle Rayo)*. Le quartier chinois de La Havane n'est plus que l'ombre de lui-même, la plupart des Chinois ayant quitté la ville au début des années 1960, mais l'endroit ne manque pas de charme. Maintenant simple rue bordée de restaurants et d'un petit marché, il était sous le régime de Batista un centre important de diffusion de films érotiques. Le restaurant Pacífico, au fond de Cuchillo sur San Nicolás, était un des endroits animés de la capitale à la tombée de la nuit.

La Calle Galiano, à une rue de la Calle Cuchillo, est coupée par l'Avenida Zanja. Cette dernière débouche vers l'est sur la Calle Dragones, rue qui sépare le Parque de la Fraternidad du Capitolio.

Pour traverser le Centro et passer de la vieille ville au Vedado, il y a plusieurs possibilités. Une dizaine de rues traversent le Centro sur toute sa longueur, comme cette Calle Virtudes, ou rue de la Vertu, reconnue pour le nombre et la «qualité» de ses maisons closes dans les années 1950. Sinon il y a toujours moyen de longer le quartier central, soit par l'Avenida Simón Bolívar ou le Malecón.

L'Avenida Simón Bolívar demeure bruyante, et les gaz d'échappement s'y concentrent désagréablement, mais une marche le long de cette avenue vous permettra de visiter l'église néogothique du **Sagrado Corazón de Jesús** *(Avenida Simón Bolívar, entre Calle Gervasio et Calle Padre Valera)*. Par cette voie, on arrive sur la Quinta de los Molinos, juste derrière l'université de La havane.

Le **Malecón** ★★, de l'autre côté du Centro, constitue une façon beaucoup plus plaisante de passer de la

La Catedral de la Habana possède sans doute l'une des plus belles façades baroques de toute l'Amérique latine.
- *P. Escudero*

La musique à La Havane, aussi omniprésente que la mer...
- *P. Escudero*

Garée devant le Capitolio, l'une des vieilles voitures américaines qui font partie du paysage havanais. - *P. Escudero*

Les Chinois à La Havane

On estime qu'entre 1844 et 1874 quelque 150 000 Chinois furent amenés sur l'île de Cuba comme ouvriers contractuels pour remplacer la main-d'œuvre noire que l'on n'arrivait plus à se procurer qu'à grand prix à cause de l'opposition anglaise au trafic des esclaves. Généralement sous contrat pour une période de huit ans, plusieurs choisirent de s'installer à demeure après, et la communauté chinoise de La Havane forma bientôt le cœur de cette diaspora.

Cette première vague d'immigrants chinois, presque exclusivement de la région de Canton, dans le sud de la Chine, fut bientôt rejointe par une seconde vague, moins nombreuse mais plus riche, débarquant de la côte ouest des États-Unis et répondant à l'appel de ce nouveau marché qui s'ouvrait à eux. Dans les années 1870, on vit ainsi apparaître les premières maisons de commerces chinoises de La Havane, et, avec le temps, la communauté chinoise atteignit une certaine notoriété.

En 1960, des quelque 25 000 Chinois recensés à Cuba, 12 000 vivaient dans la capitale. À la suite de la Révolution, plusieurs parmi les plus riches quittèrent la ville pour d'autres cieux, ne laissant derrière eux que quelques restaurants et les traces d'une étrange aventure.

Dans le Vedado se dresse un étrange monument dédié aux Chinois tombés pendant les guerres d'indépendance contre l'Espagne. Élevé en 1931, le Monumento a los Chinos Libertadores porte ces mots de Gonzalo de Quesada, un proche de Martí, inscrits en espagnol et en chinois: *Il n'y eut aucun Chinois cubain déserteur; il n'y eut aucun Chinois cubain traître!*

Attraits touristiques

vieille ville au Vedado. Longer la mer sur ce boulevard qui fait la fierté des Havanais peut s'avérer une expérience particulière. Non seulement la vue y est-elle sublime et les couchers de soleil envoûtants, mais l'air y est bon et la vie abondante. Construit au début du XXe siècle, le Malecón s'étend sur près de 12 km et va de la vieille ville au château de la Chorrera, à l'embouchure du Río Almendares. La partie la plus typique est celle qui va du Prado au Parque Antonio Maceo, aux portes du Vedado. De belles maisons aux tons pastel font face à la mer, donnant au boulevard une douceur qu'il perd graduellement à mesure que l'on avance vers l'ouest.

Le **Parque Maceo** est trop bruyant et trop passant pour être reposant, mais le **Monumento a Antonio Maceo**, général mulâtre des guerres d'indépendance, surnommé le «Titan de bronze», est assez réussi. À l'extrémité ouest du parc s'élève le petit **Torreón San Lázaro**. Érigée au XVIIe siècle, cette tour servit de vigie à l'époque où les pirates arpentaient toujours la côte.

De là, il est possible de continuer par le Malecón pour arriver à La Rampa, artère principale du Vedado, ou d'emprunter la Calle San Lázaro, qui mène à l'entrée principale de l'université de La Havane. C'est par cette rue que, durant les années mouvementées de la République, les étudiants descendaient par milliers pour protester contre les différents régimes et leurs politiques. Si vous empruntez cette dernière voie, ne manquez pas de vous arrêter au **Callejón de Hamel ★**. Cette petite rue parallèle à la Calle San Lázaro, entre la Calle Hospital et la Calle Aramburu, est un véritable temple dédié à la culture afro-cubaine. Depuis 1990, on s'est affairés à y peindre de vastes murales sur les maisons des alentours et à la décorer de sculptures d'un caractère presque animiste. On y a même édifié un petit sanctuaire de *santería*. Quelques galeries d'art intéressantes y ont pignon sur rue, et, les dimanches, la rumba afro-cubaine s'y fait entendre de midi à la fin de la journée en un hymne à la présence africaine dans l'île.

Avant d'arriver à l'université de La Havane, vous verrez sur la Calzada de Infanta, à l'angle de la Calle Neptuno, à deux rues à l'est de San Lázaro, la magnifique église de **Nuestra Senora del Carmen ★**, difficile à manquer avec son immense colonne de 60 m sur laquelle repose une vierge de bronze de 7,5 m pesant plus de 9 tonnes. L'intérieur se révèle de toute beauté. Érigée en 1925, elle a incorporé à sa décoration intérieure, faite d'azulejos de couleur, 10 retables datant du XVIIIe siècle et rescapés de la vieille Iglesia de San Felipe de la vieille ville. L'effet obtenu est des plus réussis.

Circuit D: Le Vedado

Jusqu'à la seconde moitié du XIXe siècle, le Vedado n'était qu'une colline boisée entourée d'immenses haciendas. Ce n'est qu'à partir des années 1860 que l'on commença à aménager le tout en districts résidentiels. Mais c'est vraiment avec l'arrivée des Américains, au début du XXe siècle, qu'il s'est transformé en ce quartier chic dont on peut maintenant contempler les magnifiques demeures et dont les hôtels construits tout en hauteur rappellent les belles années du jeu et du tourisme américain.

L'artère principale du Vedado, la Calle 23, dont une partie a été baptisée **La Rampa**, va du Malecón au Cementerio de Colón, et elle est coupée par deux avenues importantes, l'Avenida G (Avenida de los Presidentes) et le Paseo. Par la première, il est possible d'accéder à la Quinta de los Molinos, alors que la secon-

de s'avère une option agréable pour se rendre au cœur de la Plaza de la Revolución. La majorité des hôtels, restaurants et édifices à bureaux se regroupent entre la Calle 17 et la Calle 27 d'une part, et de la Calle J au Malecón d'autre part.

Pour se faire une idée de la richesse qui s'affichait à La Havane dans les premières années du XXe siècle, il n'y a qu'à marcher un peu dans la Calle 17. Pour la plupart construites dans les années 1920, évocation de cette opulence qui suivit la flambée des prix du sucre durant et après la Première Guerre mondiale, peu de ces grandioses maisons que l'on y voit sont officiellement ouvertes au public. Il en existe tout de même quelques-unes dont le caractère public permet de légères incursions.

C'est le cas, par exemple, de la **Casa de l'ICAP**, entre la Calle H et la Calle I, ou de la maison de l'**Unión de Escritores y Artistas de Cuba**, à l'angle de la Calle H, toutes deux ouvertes de 8h30 à 20h. Plus loin, la **Casa de la Amistad** *(mar-sam 11h à 23h30; Paseo n° 406, entre Calle 17 et Calle 19)* peut être visitée sans difficulté. Superbe maison construite en 1925 par le sénateur Juan Pedro Barro pour sa femme, la Casa de la Amistad a récemment été convertie en un assemblage de restaurant-bar, *tienda* et salle de spectacle. Des activités culturelles s'y déroulent les mardis, mercredis et samedis.

Le **Museo Nacional de Arte Decorativo** ★ *(2$, visites guidées 3$; mar-sam 11h à 18h30, dim 9h à 13h; Calle 17 nº 507, angle Calle E, ☎830-9848)* est aménagé lui aussi dans une magnifique résidence du début du XXᵉ siècle. La maison en elle-même vaut autant la visite que la collection d'objets décoratifs qui y sont exposés.

Le **Museo de la Danza** *(2$; mar-sam 11h à 18h; angle Calle Linea et Avenida G, ☎831-2198)* offre aux visiteurs un aperçu de l'histoire de la danse à Cuba.

Le Malecón, de La Rampa au Río Almendares

Les vestiges de la prééminence étasunienne sur La Havane sont légion au Vedado. Il n'y a qu'à voir ses grands hôtels installés dans de hautes tours de part et d'autre de La Rampa pour comprendre que cette

---

● ATTRAITS

1. Casa de l'ICAP
2. Museo de la Danza
3. Casa de la Amistad
4. Museo Nacional de Arte Decorativo
5. Monumento a las Victimas del Maine
6. Bureau des Intérêts Américains
7. Monumento a Calixto García
8. Castillo de Santa Dorotea de la Luna de Chorrera (R)
9. Plaza Ignacio-Agramonte et Museo Antropológico Montané et

Museo de Historia Natural Felipe Poey
10. Museo Napoleónico
11. Monumento a Julio Antonio Mella
12. Museo Casa Abel Santamaría
13. Quinta de los Molinos
14. Plaza de la Revolución
15. Monumento a José Martí
16. Museo Postal Cubano
17. Cementario Cristóbal Colón

(R) Établissement avec restaurant décrit

○ HÉBERGEMENT

1. Casa de Ana
2. Casa de Marta Díaz
3. Casa de Mary y Tamayo
4. Colina
5. Habana Riviera

6. Hospedaje Gisela Ibarra y Daniel Riviero
7. Hotel Meliá Cohiba
8. Hotel Presidente

● RESTAURANTS

1. 1830
2. Castillo de Jagüa
3. Cinecitta
4. Doña Yulla

5. El Cochinito
6. Paladar Amor
7. Restaurante Pekin

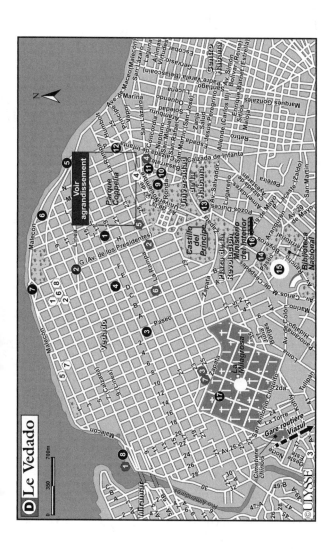

présence était plus que symbolique. Le **Habana Libre**, à l'angle de la Calle 23 et de la Calle L, anciennement le Habana Hilton, plus haut édifice de la ville, et encore plus le **Capri**, à l'angle de la Calle 21 et de la Calle N, centre de la mafia américaine à Cuba dont le grand casino occupait jadis le Salón Rojo à droite de l'entrée principale, sont des repères flamboyants de cette mainmise. Et, tout le long ce cette partie du Malecón qui va de La Rampa à la petite forteresse de la Chorrera, à l'entrée du Río Almendares, la présence américaine se fait toujours sentir.

Ainsi, si l'on suit le Malecón au bout de la Calle 17, à partir de l'**Hotel Nacional**, on arrive immédiatement au **Monumento a las Victimas del Maine**, inauguré en 1925. Les deux colonnes qui forment l'ossature du monument supportaient jadis un aigle dont on peut voir les ailes au Museo de la Ciudad. Deux plaques de bronze sont attachées de part et d'autre du monument: l'une donne les noms des 363 disparus lors de cette tragédie (voir p 26), alors que l'autre, ajoutée après la Révolution, dédie à nouveau le monument «aux victimes du *Maine* qui ont été sacrifiées par la voracité de l'impérialisme voulant prendre le contrôle de l'île de Cuba».

Un peu plus loin, en allant vers l'ouest, on se retrouve devant le **Bureau des Intérêts Américains**, qui remplace l'ambassade disparue avec la fin des relations diplomatiques entre les deux pays. L'édifice de béton est bien gardé (n'essayez pas de prendre des photos ou de flâner aux alentours. La méfiance des Cubains atteint ici son paroxysme). Juste devant ce bâtiment qui abrite officiellement l'ambassade de la Suisse, une grande place sert d'aire de rassemblement pour les grandes manifestations anti-impérialistes.

Plus loin encore, au bout de la Calle G, s'élève le **Monumento a Calixto García**. Le

Résidence cossue du Vedado

splendide monument est significatif à plusieurs égards de cette animosité qui sépare Cubains et Américains. Il rappelle en effet l'affront fait par les États-Unis au général cubain, qui, après avoir assisté le débarquement des troupes yankees à Santiago de Cuba (avec une certaine tièdeur il est vrai), se vit refuser l'entrée de la ville une fois celle-ci libérée. Une série de 32 plaques de bronze entoure le monument et raconte en images l'histoire de la participation du général cubain aux guerres d'indépendance du XIXᵉ siècle.

Au bout du Paseo, autre rue magnifique bordée d'arbres et de quelques formidables demeures, l'**Hôtel Habana Riviera ★** constitue peut-être le plus beau monument de la présence américaine à Cuba. Fleuron de l'empire du jeu de Meyer Lansky, aucun endroit à La Havane ne retient mieux que cet hôtel l'atmosphère de cette fin des années 1950 où les gangsters faisaient la pluie et le beau temps. Le décor est demeuré fidèle à l'époque de sa conception, et il nous ramène directement à cette période trouble qui donna à la ville sa triste renommée.

De l'Hotel Riviera, on peut continuer par le Malecón et aller jusqu'au Río Almendares pour en terminer l'exploration sur une note plus coloniale avec la visite du **Castillo de Santa Dorotea de Luna de Chorrera ★**. Poste de garde érigé en 1646 pour protéger les arrières de la ville, le château est niché dans la petite baie qui s'ouvre à l'entrée de la rivière. Voilà un endroit ravissant où il est possible de prendre un verre ou une bouchée sur la terrasse aménagée à sa base.

Universidad de La Habana

L'Universidad de La Habana a longtemps été le centre de l'opposition aux régimes dictatoriaux de la République. L'ambiance y est maintenant plus tranquille, mais certains signes de cette période explosive demeurent. Fermée les fins de semaine, l'université vaut une visite non seulement pour ses musées, mais aussi plus simplement pour son architecture néoclassique grandiose.

La meilleure façon d'atteindre l'université est de passer par la **Calle San Lázaro**, rue qu'empruntèrent régulièrement les étudiants lors de leurs grandes manifestations. Par celle-ci, on arrive devant l'escalier monumental de 163 marches, l'Escalita, au sommet duquel trône

Humboldt 7

Au cours des années 1950, c'est au Vedado que la guérilla urbaine se trouvait le plus à son aise pour travailler, et c'est là qu'elle trouvait ses refuges en cas de difficultés. C'est ainsi que, dans les jours qui suivirent l'échec sanglant de l'attaque du Palais présidentiel, quatre des survivants, dont deux hauts dirigeants du Directorio Revolucionario, se rendirent au numéro 7 de la Calle Humboldt, une rue à l'est de La Rampa et à deux pas du Malecón, pour se soustraire aux recherches policières. L'appartement avait été trouvé par un étudiant en théâtre de l'université de La Havane, un certain Marcos Rodríguez. Ce que les fugitifs ignoraient, c'est que «Marquitos» était aussi membre de la Juventud Socialista, les jeunesses socialistes.

À cette époque, le Parti socialiste cubain en était arrivé à une décision lourde de conséquences: incapable de prendre le contrôle des forces révolutionnaires qui s'arrogeaient tranquillement le rôle premier de la guerre contre le régime capitaliste de l'île, il résolut d'éliminer ses concurrents. Et c'est ainsi que, le 20 avril 1957, le jeune Rodríguez donna à la police l'adresse de l'appartement où se cachaient les rescapés du 13 mars, les envoyant à une mort certaine. Il ne fallut que quelques minutes pour trouver et abattre les quatre hommes, achevant ainsi de décapiter le Directorio Revolucionario qui perdit deux autres de ses cadres.

une immense statue de l'Alma Mater. La **Plaza Ignacio-Agramonte**, cœur du campus, s'étend derrière la gigantesque porte néoclassique aux quatre colonnes corinthiennes qui surplombe l'escalier. Cette partie de l'université, la plus vieille, remonte au début du XXe siècle. La place s'entoure de quatre magnifiques édifices qu'occupent le rectorat, la faculté de droit, la faculté des sciences et la bibliothèque.

La Plaza Ignacio-Agramonte abrite aussi deux musées dignes de mention. L'art précolombien est mis en valeur dans un des plus anciens musées cubains, le **Museo Antropológico Montané** *(1$; lun-ven 9h à 16h; Edificio Felipe Poey, Plaza Ignacio Agramonte, ☎879-3488)*. On y découvre la collection la plus complète d'archéologie précolombienne à Cuba, dont une collection d'art taïno composée de sculptures de corail et de l'«Idole de Bayamo», la première pièce d'art autochtone, datée du VII^e siècle. L'«Idole du Tabac», une sculpture en bois avec des coquillages pour les yeux, est sans contredit la plus populaire des pièces de ce petit musée. À la même adresse, dans la cour, les amateurs d'histoire naturelle peuvent visiter le **Museo de Historia Natural Felipe Poey** *(1$; lun-ven 9h à 12h et 13h à 16h)*.

Tout près, un palais de style florentin abrite le **Museo Napoleónico** ★ *(3$, visites guidées 5$; lun-sam 10h à 17h; Calle San Miguel n° 1159, angle Calle Ronda, ☎879-1412)*. Considéré comme l'un des plus importants en son genre dans le monde, ce musée expose des objets ayant appartenu à Napoléon Bonaparte. Qu'est-ce que la plus grande collection américaine d'objets de Napoléon fait à La Havane? L'homme le plus riche de Cuba avant la Révolution, le multimillionnaire Julio Lobo, grand admirateur de Napoléon, acheta ces pièces en Europe et principalement en France. On y trouve une lampe que Napoléon a donnée en cadeau à Joséphine, plusieurs meubles, des porcelaines, des bronzes, des pistolets, des lunettes d'approche et d'autres objets utilisés par Napoléon. La somptueuse demeure du multimillionnaire vaut une visite en soi, et un arrêt au quatrième étage est de mise: vous y trouverez une immense et somptueuse bibliothèque contenant plus de 4 000 titres sur Napoléon. On ne peut malheureusement pas consulter ces livres, à moins d'avoir préalablement obtenu une permission spéciale.

Juste devant l'entrée principale de l'université se dresse le **Monumento a Julio Antonio Mella**, dirigeant étudiant et fondateur du Parti communiste cubain. Le monument à la mémoire de Julio Antonio Mella est un symbole important de la place accordée aux mouvements étudiants dans la lutte pour la liberté à Cuba. En effet, avant de fonder le Parti communiste en 1925, Mella fut responsable de la formation, en 1923, de la Federación Estudiantil Universitaria, organe de protestation qui fut le fer de lance du vaste mouvement d'opposition qui prit naissance au cours des années 1920. Obligé de s'exiler en 1927, il quitta La Havane pour le Mexique, d'où il continua à travailler à un plan d'insurrection contre le gouvernement du dictateur Gerardo Machado. Ce dernier le prit malheureusement de vitesse en le faisant assassiner au mois de janvier de l'année 1929. Cet acte sauvage enflamma l'université et provoqua les premières convulsions de la révolution des années 1930 qui força finalement le départ du tyran.

Le **Museo Casa Abel Santamaría** ★ *(entrée libre; mar-ven 10h à 17h, sam-dim 10h à 15h; Calle 25 nº 174, appartement 601-603, entre Calle O et Calle Infanta, ☎870-0417)* fournit une autre marque de l'agitation qui entourait l'université dans les années qui précédèrent la Révolution. Le musée occupe un petit appartement qui devint, après le coup d'État de 1952, une sorte de quartier général des forces révolutionnaires étudiantines. Abel Santamaría, ex-étudiant de l'université de La Havane et alors comptable pour la branche havanaise du fabricant d'automobiles Pontiac, se lia, à travers ses contacts avec les représentants étudiants, à un jeune avocat du nom de Fidel Castro, auquel il prêta ses deux petites pièces pour organiser la lutte armée.

L'attaque de la caserne de Moncada y aurait été organisée, attaque qui coûta la vie au jeune Santamaría.

Derrière l'université se trouve un petit parc agréable où il fait bon se reposer un peu. La **Quinta de los Molinos** ★ *(1$; mar-sam 9h à 17h, dim 9h à 13h; Avenida Salvador Allende, angle Calle G, ☎97-0722)* abrite sur ses terres le **Museo Máximo Gómez**. Construite dans les années 1830 (le premier étage aurait été ajouté en 1848), la maison était alors située sur la face sud de la colline boisée que constituait encore le Vedado à cette époque. Elle fut la résidence d'été des capitaines généraux de la colonie qui fuyaient l'air torride de la vieille ville lors des lourdes journées de la saison chaude. Máximo Gómez n'y vécut que trois mois, au lendemain de la capitulation des forces espagnoles, alors que les États-Unis ne savaient que faire de ce général encombrant, mais son nom resta attaché à ces lieux.

La Plaza de la Revolución

La Plaza de la Revolución (autrefois appelée Plaza Cívica) a été mise en chan-

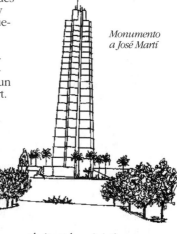

tier sous Batista. De grandes manifestations de masse y sont organisées périodiquement, les plus grandioses étant celles du 26 juillet, date de l'attaque de la caserne de Moncada. Autrement, elle a plutôt l'air d'un vaste stationnement désert.

Monumento a José Martí

La Plaza de la Revolución est dominée par l'énorme **Monumento a José Martí ★**. Tour de quelque 140 m de haut qui sert d'appui à une large statue du héros national, le monument possède à sa base trois salles ouvertes au public dont deux sont dédiées à la vie et à l'œuvre du révolutionnaire, la troisième relatant l'histoire de la construction du Monumento et de la place qui l'accueille. Du haut de la tour, on a une vue splendide sur La Havane. Le mémorial et le *mirador* sont ouverts du lundi au samedi de 9h30 à 17h30. Il en coûte 3$ pour visiter les salles au pied du monument, et 5$ si l'on souhaite aussi se prévaloir de la vue qu'offre le *mirador*. La place est délimitée à l'est par la Bibliothèque nationale, le ministère de la Défense et le siège du *Granma*, le journal officiel du PCC cubain; au sud par les édifices austères du siège du comité central du PCC et du Conseil d'État; et du côté nord par l'édifice

abritant le ministère de l'Intérieur, sur la façade duquel figure l'énorme portrait du Che.

Devant l'Estación de Omnibus se dresse l'édifice peu accueillant du ministère des Communications, dans lequel loge le **Museo Postal Cubano** *(1$; lun-ven 9h à 17h; angle Avenida Independencia et Avenida 19 de Mayo, ☎881-5551)*. Vous y découvrirez une importante collection de timbres anciens et l'histoire de la poste à Cuba.

Cementerio Cristóbal Colón

Sans doute le plus beau cimetière de Cuba et l'un des plus célèbres d'Améri-

Attraits touristiques

que latine, le **Cementerio Cristóbal Colón** *(Calle 12, angle Avenida 23)* est immense et possède de nombreuses pierres tombales, de véritables œuvres d'art de créateurs renommés tels que Saavedra et Ramos Blanco. Aménagé en 1876, ce vaste cimetière contient plus de 800 000 sépultures! Une promenade à vélo ou à pied vous révélera toute sa magnificence. Ne soyez pas surpris de découvrir de petites poupées artisanales jonchant le sol près de certaines sépultures. C'est que de nombreuses personnes y pratiquent les rituels des religions afro-cubaines. Ces poupées et ces bouts d'étoffes colorées représentent des *trabajos*, soit des offrandes à des divinités pour que se réalisent les vœux des pratiquants.

Informez-vous de l'emplacement du tombeau de **La Milagrosa** (la miraculeuse).

Cet endroit est très fréquenté par les catholiques qui viennent y déposer des offrandes et demander des faveurs. L'histoire raconte qu'une femme mourut enceinte et qu'on l'enterra alors que son fœtus était toujours vivant. La tombe fut apparemment ouverte, et l'on trouva l'enfant dans les bras de sa mère.

À l'entrée du cimetière se trouvent un petit marché, quelques petits restaurants agréables et plusieurs cinémas, dont le célèbre Cine Chaplin. L'atmosphère y est intéressante et vaut bien quelques moments de votre visite.

Circuit E: Miramar

Miramar se présente comme le quartier chic de La Havane. Plusieurs des plus belles

● ATTRAITS		
1. La Maison	4.	Ambassade de la Russie
2. Acuario Nacional de Cuba	5.	Puente de Hierro
3. Maqueta de La Habana		

○ HÉBERGEMENT		
1. Bellocaribe	7.	Hotel Neptuno et Hotel Triton
2. Bosque Gaviota	8.	Hotel Villamar
3. El Viejo y el Mar	9.	Melia-Habana
4. Hostal Icemar	10.	Novotel Miramar
5. Hotel Copacabana	11.	Palco
6. Hotel Mirazul	12.	Residencia Universitaria Ispaje

● RESTAURANTS		
1. Don Cangrejo	4.	El Tocororo
2. Dos Gardenias, Gambinas,	5.	Le Sélect
Shangai	6.	Quinta y 16
3. El Ajibe	7.	Vistamar

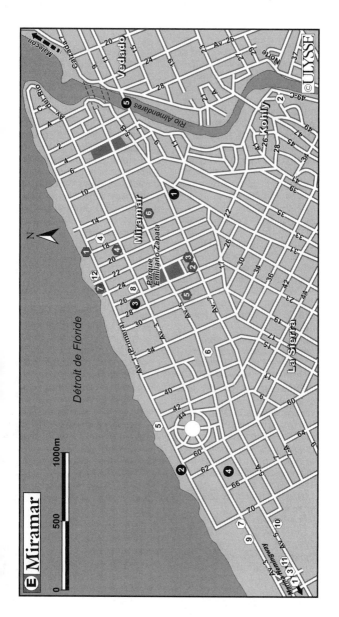

maisons de style colonial de La Havane y ont été abandonnées par les Cubains qui désertèrent l'île à la suite de l'arrivée au pouvoir de Fidel Castro en 1959. Aujourd'hui, elles abritent les personnalités les plus en vue du régime, des ambassades, des représentations commerciales étrangères et parmi les meilleurs restaurants de La Havane.

Miramar n'est certes pas ce qu'il y a de plus intéressant à voir dans la ville, mais il y a tout de même quelques belles résidences à admirer, spécialement sur l'Avenida 5. Plusieurs de ces résidences ont d'ailleurs été transformées en *tiendas*-restaurants. Construite en 1946, la plus connue est certainement **La Maison** *(10$; 10h à 1h; Calle 18, entre Avenida 7 et Calle Linea, ☎204-1543)*, rendue célèbre par ses défilés de mode auxquels participa un temps la fille de Fidel. On y présente à 22h15, tous les soirs, un défilé et un spectacle de musique et de danse pour lesquels il faut verser 10$ à l'entrée.

L'**Acuario Nacional de Cuba** ★★ *(5$; lun-jeu 10h à 18h, ven 10h à 22h, dim 10h à 18h; Calle 60, angle Avenida 1, ☎203-6401)* est un aquarium moderne et bien tenu qui propose des expositions et des spectacles aquatiques de dau-

phins et de phoques. L'entrée se fait par l'Avenida 3.

La **Maqueta de La Habana** *(3$; mar-sam 9h30 à 17h30; Calle 28, entre Avenida 1 et Avenida 3, ☎202-7303)* est impressionnante en soi, mais, depuis qu'une maquette de la vieille ville est présentée dans La Habana Vieja (voir p 98), son importance est quelque peu diminuée.

L'**Ambassade russe** mérite un coup d'œil. En fait, il serait difficile de ne pas l'apercevoir, car elle domine Miramar comme un immense château fort des temps modernes. Elle occupe tout un pâté de maisons délimité par la Calle 62 et la Calle 66, entre l'Avenida 3 et l'Avenida 5.

L'Ambassade russe

Il y a à Miramar un très beau parc, le **Parque Emiliano Zapata**, ainsi nommé à la mémoire du célèbre révolutionnaire mexicain. Le parc se trouve à l'angle de l'Avenida 5 et de la Calle 26.

La présence de petits bateaux de pêche transforme les abords du **Río Almendares** en un endroit des plus pittoresques qui s'anime surtout autour du **Puente de Hierro**. La circulation automobile est interdite sur ce petit pont-levis d'acier, par lequel des milliers de cyclistes franchissent la rivière Almendares. Des vendeurs ambulants proposent des repas, des gâteaux et toutes sortes d'objets hétéroclites.

Circuit F: Le circuit d'Hemingway

Révolutionnaire dans l'âme, le célèbre écrivain et journaliste américain Ernest Hemingway n'était jamais en reste dans cette ville qu'il adopta pour passer ses vacances dès les années 1930, avant de s'y installer en 1939. Hemingway a laissé une trace indélébile sur son chemin, et aujourd'hui de nombreux bars, restaurants et hôtels de la capitale revendiquent son passage dans leur établissement.

Pour suivre ses pas dans La Havane, vous irez sans doute à **La Bodeguita del Medio** (voir p 182) pour un *mojito*, ce cocktail à base de rhum, de jus de limette, de sucre et de feuilles de menthe écrasées pendant sa préparation.

Puis à **El Floridita** (voir p 183), où vous prendrez un second apéro, cette fois un daïquiri, la spécialité de cette maison reconnue pour avoir inventé ce cocktail. Le *papa especial* est le daïquiri d'Hemingway, composé d'une double ration de rhum de trois ans, de citron et de glace concassée. Demandez le menu, car vous êtes à l'une des bonnes tables en ville! La soirée terminée, vous pouvez marcher jusqu'au cœur de la vieille Havane jusqu'à **Ambos Mundos**; choisissez la chambre n° 21, la préférée d'Hemingway, et vous pourrez dès lors vous effondrer dans votre lit et cuver vos cocktails, exactement comme le faisait Hemingway!

Les inconditionnels d'Hemingway ne manqueront pas de visiter, à une quinzaine de kilomètres de La Havane, la **Finca la Vigía**, la somptueuse demeure du Prix Nobel de littérature, construite en 1887, qui abrite aujourd'hui le **Museo Ernest Hemingway ★★** *(3$; mer-dim 9h à 17h, fermé les*

Attraits touristiques

jours de pluie; San Francisco de Paula, ☎91-0809). Ses trésors de chasse, les nombreuses pièces rustiques meublées avec goût et une bibliothèque contenant plus de 9 000 titres, dont les originaux de quelques-uns de ses romans, constituent toujours l'essentiel de cette maison conservée presque intacte à la suite de sa mort aux États-Unis. Hemingway a acheté cette immense villa en 1940 après l'avoir louée pendant quelques mois. On ne peut malheureusement pas pénétrer à l'intérieur de la maison. Cependant, les portes et les fenêtres sont grandes ouvertes, et c'est du dehors que l'on peut jeter un coup d'œil sur son bar et sur plusieurs photos, et retracer le parcours de sa vie.

On peut faire usage d'un guide lors de la visite. On y apprend ainsi nombre d'anecdotes sur sa quatrième femme, Mary Welch, qui partagea cette maison et fit construire une tour pour qu'Hemingway y écrive (ce qu'il ne fit jamais: sa machine à écrire sied sur une haute table au rez-de-chaussée, Hemingway devant écrire debout à cause d'une blessure à la jambe). Le couple prit soin de 57 chats (on peut voir leur cimetière sur les terrains de la maison), qu'il gardait à l'étage de la tour, auquel on peut accéder pour apprécier

la vue panoramique sur les vallées de San Francisco de Paula et sur La Havane, qui se profilent au loin. À propos de la vue sur La Havane que lui offrait sa résidence, Ernest Hemingway écrivit ce qui suit dans le magazine *Holiday*: *Les gens vous demandent pourquoi vous vivez à Cuba, et vous dites parce que cela vous plaît. Il est trop difficile d'expliquer l'aube dans les collines au-dessus de La Havane, où tous les matins sont frais et doux par les plus chaudes journées d'été.*

Tout près de la grande piscine, dans laquelle on ne peut se baigner, vous pourrez aussi voir **El Pilar**, son bateau de pêche rendu célèbre par les nombreuses chroniques de pêche d'Hemingway et bien sûr par le roman **Le Vieil Homme et la mer**. Entourée d'une flore tropicale abondante composée de 18 espèces, la résidence d'Hemingway est juchée sur une magnifique colline de la banlieue de San Francisco de Paula, à une dizaine de kilomètres de La Havane.

Vous ne pouvez suivre les traces d'Hemingway sans faire un arrêt dans la ville portuaire de **Cojimar ★**, où le célèbre écrivain tenait amarré plus souvent qu'autrement *El Pilar*. Cojimar est située dans la région des plages de l'Est, à une dizaine de kilomètres de La Havane. Vous pouvez vous y rendre facilement en voiture en passant par le tunnel sous la baie de La Havane, d'où vous suivrez les indications tout de suite après le stade des Jeux panaméricains, que vous verrez sur votre gauche. Cojimar mérite donc un arrêt, ne serait-ce que pour une promenade le long de ses rues tortueuses. De belles petites maisons se succèdent le long de la côte. Un monument à la mémoire d'Hemingway a été élevé par les pêcheurs du village sur le Malecón en face d'une tourelle fortifiée. Suivez cette route jusqu'à l'excellent restaurant de fruits de mer **Las Terrazas** (voir p 193), l'un des préférés d'Hemingway. De nombreuses photos rappelant son passage décorent les murs rafraîchis de l'établissement. Quelques-unes d'entre elles montrent Hemingway remettant à Fidel Castro le premier prix d'un tournoi de pêche.

Las Terrazas, contrairement à d'autres établissements de La Havane qui rappellent le passage d'Hemingway, offrait encore il y a peu de temps un témoignage vivant de son hôte américain. Gregorio Fuentes, le héros du *Vieil Homme et la mer* et capitaine d'*El Pilar*, faisait partie des meubles de Las Terrazas. À midi et à l'heure du dîner, depuis des années, malgré ses 98 ans, il pouvait raconter quelques anecdotes sur le passé d'Ernest Hemingway; et il ne manquait pas, au passage, de contester le blocus américain. Gregorio habitait une modeste demeure au n° 209 de la Calle Pesuela, entre la Calle Buena Vista et la Calle Carmen. Il disait d'Hemingway: *Il était un grand écrivain et moi un simple capitaine. L'histoire du Vieil Homme et la mer, c'est vraiment arrivé.*

La **Marina Hemingway**, près de Miramar, est un port de plaisance qui connaît un très grand développement touristique. On y trouve plusieurs boutiques, restaurants et hôtels. C'est un bon endroit pour décrocher un tant soi peu du brouhaha de la ville et se promener le long des canaux qui s'étendent sur une quinzaine de kilomètres. On peut y louer des embarcations (voiliers, catamarans) et profiter d'une de ses agréables terrasses. Un parc d'attractions (☎204-1150) y est ouvert tous les jours de 5h à 22h.

Circuit G:
Les parcs du Sud

La province de La Havane est la plus petite de Cuba en termes de superficie, bien qu'elle possède la plus

Attraits touristiques

grande concentration d'habitants. Il en résulte qu'elle n'offre pas de grandes étendues naturelles.

Cependant, au sud de la ville, La Havane abrite des parcs aménagés pour les loisirs. À 25 km de la ville, le **Parque Lenin** *(2$; mer-dim 10h à 17h; angle Calle 100 et Cortina de la Presa, ☎44-2721)* se présente comme un gigantesque complexe de divertissements de 750 ha construit en 1972. Club hippique, parc d'attractions, complexe sportif, galeries d'art et aquarium, rien n'a été négligé pour animer cet endroit autrefois très fréquenté par la population locale. Vous choisirez peut-être de manger à l'une des bonnes tables de La Havane, le restaurant Las Ruinas. Tout près, à environ 25 km de La Havane, le **Jardín Botánico** ★★ *(3$; mer-dim 8h à 16h30; Carretera del Rosario, Km 3,5, ☎54-9170)* promet une excursion réussie pour les amants de la flore et des grands espaces. Couvrant 600 ha, les nombreux jardins sont reliés par 35 km de route et sont tellement étendus que vous préférerez utiliser votre voiture ou le service d'un petit train sur roues tiré par un tracteur. Ils accueillent une importante collection de plantes tropicales et subtropicales représentatives des cinq continents. Le Jardin botanique est divisé en trois grandes sections: une réservée aux espèces végétales et aux différents sols cubains; une autre aux espèces tropicales et subtropicales de l'Amérique centrale, des Antilles, de l'Afrique, de l'Asie et de l'Océanie; enfin, des serres situées dans trois pavillons.

Un authentique jardin japonais, devant lequel se trouve le **Restaurante Ecológico** (voir p 193), figure parmi les plus beaux avec ses chutes et ses fontaines. Le **Restaurante El Ranchón** (voir p 193) est, quant à lui, caché dans une forêt de pins. Le Jardin botanique accueille dans son enceinte un important centre de recherche et le département de botanique de l'université de La Havane.

Circuit H:
Les plages de l'Est

D'excellentes plages se trouvent seulement à une quinzaine de kilomètres de La Havane. La plus invitante est sans contredit celle de **Santa María** ★★; recouverte de sable blanc, elle n'a rien à envier aux plages de Varadero. Santa María se présente comme un village essentiellement touristique, et vous y trouverez de nombreux hôtels. Les plages de

Boca Ciega ★, le village voisin un peu plus à l'est, se révèlent aussi très belles et peu fréquentées par la gent touristique. Boca Ciega constitue un charmant village de petites maisons de vacanciers de La Havane. Toujours vers l'est suit le village de **Guanabo** ★, qui n'offre certes pas les plages les plus accueillantes, mais on y trouve le plus grand choix d'activités sur front de mer. Si vous logez à La Havane, ces plages méritent une excursion d'un jour. Grâce à la proximité des lieux, vous pouvez aussi prévoir des sorties d'une demi-journée.

Les routes qui relient ces plages sont excellentes et, somme toute, assez bien indiquées. La route la plus simple est celle qui passe par le tunnel de la baie de La Havane que vous empruntez au départ de la vieille Havane. Cette route passe devant le stade des Jeux panaméricains, et vous serez en moins de 20 min sur les plages de sable blanc de Santa María!

Vous pouvez aussi choisir d'explorer une route moins fréquentée et plus pittoresque puisqu'elle longe de nombreux villages et des champs hersés. Vous devez suivre l'Avenida Máximo Gómez jusqu'à la Vía Blanca. Pour ceux dont le séjour se limite à une semaine, c'est l'occasion idéale de s'aventurer à l'intérieur du pays! Le détour ajoute entre une demi-heure et une heure au parcours jusqu'aux plages de l'Est en raison de la circulation automobile sur cette petite route de campagne.

Hébergement

Pour se loger
à La Havane, on a le choix entre l'hôtel
et la *casa particular*, maison privée dont le
propriétaire loue une
simple chambre.

En général, les hôtels
pour touristes étrangers
sont de très bonne qualité
et offrent toutes les commodités désirées. En fonction
de l'endroit où l'on veut demeurer, qu'il s'agisse de la
vieille ville, du Centro, du
Vedado ou de Miramar, on
trouvera des hôtels avec
plus ou moins de charme,
mais presque toujours avec
un même confort. La plupart de ces hôtels ont leur
propre restaurant. Dans la
vieille Havane, plus d'une
quinzaine d'hôtels récemment restaurés sont aménagés dans des palais de style
colonial situés non seulement près d'un grand
nombre d'attraits mais aussi
dans un secteur très vivant
de la ville et donc plutôt
bruyant.

Le quartier populaire du
Centro s'avère passable-
ment pauvre en lieux
d'hébergement. Le Vedado,
quant à lui, semble privilégier la faune touristique en
proposant un éventail complet d'établissements toutes
catégories à proximité des
bars et restaurants les plus
fréquentés par les touristes.

La lointaine banlieue de Miramar présente un grand nombre d'hôtels en hauteur, mais il faut se rappeler qu'une voiture ou un taxi sera nécessaire pour se rendre au centre de la ville. Quelques hôtels, les plus dispendieux, offrent une navette à leurs clients. Les *casas particulares* sont plus difficiles à trouver dans le quartier de Miramar que partout ailleurs.

Si vous choisissez d'habiter les Playas del Este, vous serez à quelque 20 km de la ville. Les hôtels de la chaîne Horizontes ont des services d'autocar pour la ville, mais la fréquence de ceux-ci laisse à désirer.

Il existe un peu partout dans la ville un certain nombre d'hôtels où il faut payer en pesos et qui sont destinés aux Cubains, mais qui parfois acceptent les étrangers. À première vue, ces établissements paraissent bon marché; cependant, le confort s'y avère plutôt basique. Une exception: l'hôtel Deauville de la chaîne Horizontes.

Les *casas particulares* sont d'une tout autre nature. Rien de mieux pour se rapprocher du mode de vie cubain, mais ici les différences entre un endroit et un autre peuvent être immenses. Les prix varient ordinairement entre 20$ et 40$. Notez bien que, si quelqu'un vous amène à l'une de ces maisons privées, il reçoit une commission de 5$ par jour, et ce, pour toute la période où vous occuperez la chambre. Ce surplus pourrait vous être refilé sur le prix de la chambre qui, autrement, peut être négocié. Allez voir quelques chambres dans ces maisons privées avant d'en choisir une. Certaines ont toutes les commodités, d'autres à peine un ventilateur.

Il existe des centaines de *casas particulares*, certaines d'une durée éphémère; et comme elles n'ont qu'une ou deux chambres à louer, leur mise en marché laisse à désirer. Il est bon de savoir que certains propriétaires visent une clientèle spécifique, par exemple les gens d'affaires, et que certaines chambres seront plus appropriées pour les jeunes avec sacs à dos. Plusieurs propriétaires proposent d'excellents déjeuners au lieu de laisser utiliser leur cuisine. Certains fournissent le blanchissage. Enfin, d'autres ne parlent pas le français ni l'anglais: voilà l'occasion d'apprendre quelques mots d'espagnol.

Pour savoir quelles maisons privées louent des chambres, cherchez les petites affiches bien en vue sur lesquelles on peut lire *Aqui se alquila habitación a extranjeros.*

Prix et symboles

Les tarifs mentionnés dans ce guide s'appliquent, sauf indication contraire, à une chambre pour deux personnes en haute saison. Les prix indiqués sont ceux qui avaient cours au moment de mettre sous presse et sont bien sûr sujets à changement en tout temps.

$	20$ ou moins
$$	de 21$ à 40$
$$$	de 41$ à 80$
$$$$	de 81$ à 160$
$$$$$	plus de 160$

Les divers services offerts par chacun des établissements sont indiqués à l'aide d'un pictogramme ou d'une abréviation qui sont décrits dans le tableau des symboles se trouvant dans les premières pages de ce guide. Rappelons que cette liste n'est pas exhaustive quant aux services offerts par chacun des établissements, mais qu'elle représente les services les plus demandés par leur clientèle.

Le bateau Ulysse

Le pictogramme du bateau Ulysse est attribué à nos établissements favoris (hôtels et restaurants). Bien que chacun des établissements inscrits dans ce guide s'y retrouve en raison de ses qualités ou particularités, en plus de son rapport qualité/prix, de temps en temps un établissement se distingue parmi d'autres. Ainsi il mérite qu'on lui attribue un bateau Ulysse. Les bateaux Ulysse peuvent se retrouver dans n'importe lesquelles des catégories d'établissements: supérieure, moyenne-élevée, petit budget. Quoi qu'il en soit, dans chacun de ces établissements, vous en aurez pour votre argent. Repérez-les en premier!

Hébergement

La vieille ville

Voir plan p 87.

La vieille ville manifeste un véritable essor hôtelier. De plus en plus, on mise sur des demeures coloniales historiques pour compléter l'infrastructure hôtelière. Chacune de ces demeures mériterait de figurer dans le chapitre «Attraits touristiques». Toutes sont charmantes, et toutes arborent un luxe qui dépasse souvent ce que l'on en attend, et tout cela en plein cœur d'une des villes coloniales les mieux préservées au monde.

Residencia Académica del Convento de Santa Clara
$$ par personne
⊗, *bp, tv*
Calle Cuba n° 610, entre Calle Luz et Calle Sol
☎861-3335

L'un des endroits où l'ambiance des maisons coloniales opère le plus est certainement la Residencia Académica del Convento de Santa Clara. Le couvent, construit dans la première moitié du XVII° siècle, a conservé un charme incroyable. Situé un peu à l'écart du circuit touristique, il offre une tranquillité qui parfois fait défaut dans certaines parties de la vieille ville. Comme l'établissement ne possède que quelques chambres et que les universitaires de passage y ont priorité, mieux vaut téléphoner pour s'assurer que l'on peut y loger, ou réserver à l'avance.

Hostal Valencia
$$$
ℜ, *bp*, ⊗
Calle Oficios n° 53
☎861-6423
≈860-5628

À 200 m de la Plaza de Armas, l'Hostal Valencia se dresse dans une des plus belles parties de la vieille Havane. Ce petit hôtel de 12 chambres se révèle particulièrement charmant et authentique, et il sera apprécié à sa juste valeur de ceux qui ont l'âme romantique. On y trouve comme nulle part ailleurs *¡El sabor cubano!* Cet ancien palais du XVIII° siècle entoure une cour intérieure où il fait bon s'asseoir pour se détendre, bouquiner, faire le point ou simplement prendre le temps de rencontrer des Cubains. Les chambres sont rustiques et très propres, et le service est des plus amicaux. Tâchez de réserver à l'avance puisqu'il est très populaire. Les petits déjeuners servis au restaurant La Paella sont particulièrement copieux, et, pour le dîner, vous ne regretterez pas d'avoir fait faux bond à la cuisine cubaine en essayant une paella typiquement valencienne.

Hostal del Tejadillo
$$$$

≡, ℝ, ℜ, ℂ, ☎, *bp, tv*
Calle Tejadillo n° 12, angle Calle San Ignacio
☎*863-7283*
⇄*863-8830*

L'Hostal del Tejadillo regroupe 32 chambres dans un complexe hôtelier de trois maisons, distinctes mais communicantes, datant des XVIIIe et XIXe siècles. Situé tout près de la Plaza de la Catedral, cet hôtel est un des établissements les plus agréables de la vieille ville.

Hotel Florida
$$$$

≡, ℜ, *bp, tv*
Calle Obispo n° 252, angle Calle Cuba
☎*862-4127*
⇄*862-4117*

L'Hotel Florida est aménagé dans une magnifique demeure coloniale des années 1830. Transformée en hôtel en 1875, sous dénomination actuelle, cette habitation fut métamorphosée en *casa de vivienda* (*solar*) après la Révolution, puis, après une brève période durant laquelle elle fut utilisée comme centre d'information touristique, elle revint à sa vocation hôtelière en 1999. Sur trois étages, l'hôtel offre 25 chambres sobres mais agréables, réparties autour d'un magnifique patio. Il s'agit d'un endroit splendide au charme indéniable.

Ambos Mundos
$$$$

≡, *bp,* ☎, *tv,* ℜ
Calle Obispo n° 153, angle Calle Mercaderes
☎*860-9529*
⇄*860-9532*

Rendu célèbre par Hemingway, qui y demeura dans les années 1930, au moment d'un certain essor artistique et intellectuel dans ce coin de la ville, l'Ambos Mundos est un hôtel luxueux à quelques pas des nombreux bistros où l'écrivain allait s'enivrer. Vous pouvez visiter sa chambre (n° 511), demeurée intacte. Le panorama sur les vieux quartiers depuis les derniers étages est fabuleux. L'ambiance «début du XXe siècle» est encore palpable au-delà de l'ombre d'Hemingway, en raison du vieil ascenseur et du hall d'entrée tout en bois, au milieu duquel résonne le piano à queue tout aussi âgé.

Hostal El Comendador
$$$$

≡, ℜ, *bp, tv*
Calle Obrapia n° 53, angle Barotillo
☎*867-1037*
⇄*860-5628*

Placé sous la même administration que l'Hostal Valencia (voir plus haut), l'Hostal El Comendador donne un bel exemple de la façon intelligente dont on développe la vieille ville tout en respectant son histoire et son architecture. Bien que communicants, les

Hébergement

deux hôtels sont traités comme deux entités distinctes afin de préserver le caractère historique de chacun. Les 14 chambres du Comendador se révèlent petites mais luxueuses. Encore une fois, elles s'articulent autour d'un patio qui confère à l'établissement son caractère colonial. Fait intéressant, les soubassements de l'hôtel font l'objet de fouilles archéologiques importantes. On aurait trouvé sous ses fondations des vestiges du début de la colonie de San Cristóbal de La Habana. Une petite salle a été aménagée afin de permettre aux visiteurs de voir le chantier de fouilles. Pour la location des chambres, il faut passer par l'Hostal Valencia, dont l'entrée est située sur la Calle Oficios, à l'angle de la Calle Justiz.

Hotel Conde de Villanueva
$$$$
≡, ℝ, ℜ, bp, tv, ☎
Calle Mercadares n° 202, angle Calle Lamparilla
☎ *862-9293*
⇄ *862-9682*

L'Hotel Conde de Villanueva possède des chambres de toute beauté bien qu'un peu sombres. Son patio n'a pas l'attrait de ceux qu'on retrouve dans certains autres hôtels du coin, mais l'endroit est agréable et à

deux pas de la Plaza Vieja. L'établissement ne compte que neuf chambres regroupées dans une maison construite en 1724. Il tient son nom de son plus illustre propriétaire, Claudio Martínez de Pinillo, comte de Villanueva, qui occupa le poste de trésorier de la ville de 1825 à 1851.

Santa Isabel
$$$$
≡, bp, ☎, tv, ℜ
Calle Baratillo n° 9, angle Obispo
☎ *860-8201*
⇄ *860-8391*

La douce brise de la Bahía de La Habana caresse le Santa Isabel, situé à deux pas de la baie. L'immeuble colonial vous donnera à coup sûr l'impression de vous retrouver à une époque lointaine. Il fait face à l'agréable Playa de Armas, où les bouquinistes proposent leur littérature révolutionnaire. D'énormes portes, hautes et massives, permettent le passage entre les différentes pièces. Elles vous feront pénétrer dans le Cuba colonial et dans des chambres au confort sans tache. D'ailleurs, c'est ici que le pape a élu domicile lors de sa célèbre visite de janvier 1998, à deux pas de la cathédrale!

Comtes et marquis

L'hôtel Santa Isabel occupe l'ancien palais de Nicolás Martínez de Campos, qui est devenu Conde de Santovenia en 1824. En effet, les titres étaient monnayables dans le Cuba colonial. Un titre de marquis coûtait environ 45 000 dollars, alors que l'on pouvait se faire comte pour une somme variant entre 25 000 et 30 000 dollars, payable à la Couronne espagnole. Plusieurs riches planteurs se firent ennoblir de la sorte, et, dans les années 1840, Cuba comptait 34 marquis et 32 comtes, la plupart résidant à La Havane.

Le Prado et le Parque Central

Voir plan p 119.

Les hôtels qui bordent le Prado et le Parque Central sont en général plus grands et plus modernes que ceux de la vieille ville. Leur style est définitivement néoclassique, et l'atmosphère y est plus enjouée, plus dansante. On a l'impression, en y logeant, d'être un de ces voyageurs de la fin du XIXᵉ siècle qui découvraient avec bonheur cette ville policée et différente. Le secteur hôtelier se développe tout aussi rapidement ici que dans la vieille ville coloniale, mais la grandeur des projets rend le processus plus long et plus coûteux. La restauration de l'Hotel Telegrafo, situé à l'angle du Prado et de la Calle Neptuno, est le plus bel exemple de cette tendance.

Casa del Científico
$$ bc, ⊗
$$$ bp, ≡, *pdj*
Prado 212, angle Trocadero
☎ 862-4511
⇄ 860-0167

La Casa del Científico est cachée dans un vieil immeuble colonial en plein centre de La Habana. Il accueille les scientifiques de passage, mais on peut y dénicher une place de temps en temps lorsqu'il n'est pas complet. Le rapport qualité/prix est ici à son meilleur. En fait, vous aurez l'impression d'habiter un musée du XIXe siècle. On comprend mieux cette impression quand on sait que le président habitait ici au début du XXe siècle. Avec sa cour intérieure néoclassique et son balcon donnant sur le Prado, cet hôtel mérite un détour.

Hotel Horizontes Caribbean
$$
≡, ℜ, *bp*
Avenida Paseo del Prado n° 164
☎ *60-8233*
⇥ *60-9479*
Très populaire parmi les voyageurs à petit budget, l'Hotel Horizontes Caribbean offre une ambiance sympathique. Sa situation géographique, avec pignon sur le Paseo del Prado, représente sans conteste la principale qualité de cet établissement à prix raisonnable. Vous pourrez vous rendre à pied dans la vieille Havane, sur le Malecón et même jusqu'au Vedado. Aussi, des restaurants bon marché se trouvent près de l'hôtel. Toutes les chambres sont climatisées, ce qui constitue une véritable aubaine pour le prix demandé.

Hotel Horizontes Lido
$$ pdj
ℜ, *bp*, ⊗, ≡
Calle Consulado n° 210
☎ *867-1102*
L'Hotel Horizontes Lido, pourvu d'une terrasse agréable ouverte jusqu'à 22h, est fréquenté par des voyageurs autonomes. Le service s'avère amical. Ceux qui aiment dormir la fenêtre ouverte y trouveront leur compte, puisque presque toutes les chambres sont attenantes à des balcons ne donnant pas sur une rue bruyante.

Hotel Inglaterra
$$$
≡, ℜ, *bp*, *tvc*, ☎
Avenida Paseo del Prado n° 416
☎ *860-8595*
⇥ *860-8254*
Situé en face du Parque Central et tout près du Capitolio, l'Hotel Inglaterra demeure très populaire auprès des voyageurs de tous genres. Autrefois, il se targuait d'être le point de rendez-vous des intellectuels et des artistes de la capitale. Cet hôtel datant de 1875 a un caractère particulier, une sorte de légère désuétude qui ne manque pas cependant de rappeler le faste du début du XXe siècle. Considéré comme le plus vieil hôtel à Cuba, l'Hotel Inglaterra a été cité tant pour son architecture que pour son importance historique et déclaré monument national. Sa façade néoclassique est majestueuse, et elle s'harmonise parfaitement au décor intérieur.

Vous apprécierez sûrement l'ambiance détendue et relâchée du bar-restaurant, à l'entrée, qui accueille fréquemment des voyageurs aux allures d'aventuriers, somme toute une faune généralement colorée. Le bar situé sur le toit offre parmi les meilleurs points de vue de la ville. Les chambres, sobres, sont très belles et garnies de meubles anciens. Sachez que les chambres avec balcon donnent sur le Parque Central, une zone bruyante où la circulation automobile est plutôt dense.

Hotel Plaza
$$$$ pdj
≡, ℜ, *bp, tvc*
Calle Ignacio Agramonte nº 167, angle Calle Neptuno
☎ *60-8583-90*
⇄ *60-8591*
Près du Parque Central, l'Hotel Plaza possède un charme unique. Son entrée aux plafonds élevés et ses fontaines procurent de l'ambiance aux lieux. Les chambres sont propres, et elles sont toutes climatisées. Cependant, la climatisation est parfois bruyante dans les chambres.

Hotel Sevilla
$$$$
≡, ≈, ℜ, *bp, tvc,* ☎
Calle Trocadero nº 55
☎ *60-8560*
⇄ *60-8582*
Le hall de l'Hotel Sevilla arbore une architecture et une décoration qui vous plongeront immanquablement en Andalousie. Entièrement rénové, ce très bel

hôtel du début du XXe siècle, de style andalou, offre une atmosphère à mi-chemin entre l'élégance confortable et un certain laisser-aller. Situé entre le Paseo del Prado et le Museo de la Revolución, l'Hotel Sevilla n'est qu'à quelques pas de la vieille Havane. Cependant, la nuit venue, les rues qui mènent aux abords de l'hôtel sont plutôt sombres et isolées. Si vous comptez vous promener de nuit et que vous préfériez éviter les rues obscures, choisissez plutôt l'Hotel Inglaterra ou l'Hotel Plaza dans ce secteur de La Havane. Les chambres sont un peu vieillottes pour le prix, et parfois le revêtement mural et le mobilier ne semblent pas très bien entretenus. Malgré tout, si vous en avez les moyens, vous succomberez sans doute à son charme.

L'Hotel Sevilla est surtout fréquenté par des touristes européens. Il renferme trois restaurants, et, si vous optez pour la demi-pension, le petit déjeuner servi au rez-de-chaussée comporte un buffet assez bien équilibré de fruits, de viandes et de pâtisseries. Les pains frais, parfois garnis d'ananas, font partie des meilleurs de La Havane. Dans le couloir marchand du rez-de-chaussée, un restaurant propose un menu typiquement andalou. Au neuvième étage se trouve un des meilleurs et des plus beaux restaurants de la capitale, le Roof Garden.

Hotel Parque Central
$$$$$
≡, ℜ, bp, ☎, tvc, ≈
Calle Neptuno, entre Calle Prado et Calle Zulueta
☎ *66-6627 à 29*
⇌ *60-6630*

Ouvert depuis novembre 1998, l'Hotel Parque Central est l'un des derniers-nés du secteur central de la capitale. Il propose un luxe impeccable. Non seulement offre-t-il des chambres au confort irréprochable, une piscine sur le toit et une salle de conférences, mais il est aussi admirablement bien situé entre le parc, le Capitolio et La Habana Vieja. On peut retirer des dollars au distributeur avec sa carte Visa.

Le Centro

Voir plan p 127.

Pour trouver une *casa particular*, mieux vaut chercher le long des rues à l'ouest du Prado. Consulado, Industria, Crespo, et toutes les rues qui les recoupent entre le Malecón et Virtudes forment un terrain de chasse fécond. N'ayez pas peur d'en visiter quelques-unes jusqu'à ce que vous trouviez ce qui vous plaît. Tel que déjà mentionné, la qualité des chambres varie énormément d'un endroit à l'autre. On peut toujours négocier un peu et se loger à bon prix.

Hotel Isla de Cuba
$
≡, bp
Calle Monte nº 169, entre Calle Cienfuegos et Calle Aponte
☎ *62-1031*

L'Hotel Isla de Cuba est actuellement en rénovation. Personne ne semble savoir exactement quand il rouvrira ses portes, mais le prix des chambres devrait demeurer à peu près le même. Ce facteur, plus son emplacement somme toute pratique, juste devant le Parque de la Fraternidad, en font une adresse qu'il vaut la peine de noter.

Casa Particular Amada Pérez Guelmes
$$
≡, ⊗, bc
Calle Lealtad nº 262, entre Calle Neptuno et Calle Concordia
☎ *62-3924*

Ici vous trouverez quatre chambres autour d'une cour intérieure, dans un quartier un peu délabré, mais vous aurez un stationnement et pourrez utiliser la cuisine.

L'Hotel Lincoln
et la lutte révolutionnaire

L'Hotel Lincoln *(Calle Galiano)* cache une histoire intéressante derrière sa façade du Centro. En effet, le 23 février 1958, à la veille du Gran Premio, grande course annuelle qui se tenait alors à La Havane, le champion du monde de course automobile Juan Manuel Fangio y fut kidnappé par un commando du Movimiento 26 de Julio dirigé par Oscar Lucero. L'Argentin, cinq fois champion du monde entre 1951 et 1957, fut contraint de suivre ses ravisseurs sous la menace d'un pistolet. Conduit dans une résidence de la banlieue du Vedado, il fut gardé sous surveillance durant deux jours avant d'être relaché par ses ravisseurs, apparemment ravi de son expérience.

Cette action d'éclat fit la une de la presse internationale. Du jour au lendemain, la crise cubaine se médiatisa, et la cause des rebelles attira les sympathies du monde entier. L'enlèvement de Fangio fut un point tournant dans le combat des forces révolutionnaires contre le régime de Batista. Une plaque encastrée dans le mur extérieur de l'hôtel commémore cet événement qui fit grand bruit.

L'hôtel est actuellement fermé pour cause de rénovation. La réouverture est prévue pour 2006.

Casa Particular Villa Enano Rojo
$$
≡, *bc*
Malecón n° 557, entre Lealtad et Escobar
☎*63-5081*
Située sur le Malecón, la Villa Enano Rojo (la villa du

nain rouge) ne propose qu'une seule chambre double. La vue sur la mer compense bien les éclats de rire tonitruants des deux enfants de la propriétaire.

Hotel Horizontes Deauville
$$$
≡, ℜ, *bp, tvc*
Calle Galiano, angle Malecón
☎62-8051 à 59

L'Hotel Horizontes Deauville, central, a l'avantage d'être établi sur le Malecón et près de la vieille Havane. L'hôtel s'avérant un peu bruyant, il est préférable de louer une chambre aux étages supérieurs de l'établissement, et tournée vers la mer.

Le Vedado

Le Vedado offre des chambres dans des tours modernes. Le charme colonial y est évidemment absent, mais, pour ceux qui ne veulent pas être trop dépaysés et qui préfèrent être près du quartier des affaires, ce n'est pas une mauvaise idée d'y loger.

Pour trouver une **casa particular**, le meilleur endroit où chercher est situé tout près de l'entrée principale de l'université, sur les rues qui bordent la Calle San Lázaro, et plus particulièrement à l'ouest de celle-ci, en haut de la Calle Infanta. Ici les propriétaires de maisons privées qui font la location de chambres sont habitués de traiter avec les étrangers. Encore une fois, la qualité des chambres varie grande-

ment. C'est dans le quartier du Vedado que vous trouverez le plus grand nombre de *casas particulares*. Pour obtenir une liste récente des chambres à louer, rendez-vous chez Roots Travel, Calle 4 n° 512, entre la Calle 23 et la Calle 21.

Casa de Ana
$$
≡, *bp, tv,* ℝ
Calle F n° 107, entre Avenida 5 et Calle Calzada
☎832-2360

La propriétaire, Ana Victoria, propose de grandes chambres plus appropriées aux diplomates et aux gens d'affaires, comme en fait foi le grand salon qui se transforme en salle de conférences, le patio sur le toit et le stationnement. Il faut réserver.

Casa de Mary y Tamayo
$$
≡, *bp, tv,* ≈
Calle 39 n° 1122, entre Calle Kohly et Calle 36
☎81-4318 ou 81-1963

Près de la gare d'autocars Viazul, vous trouverez la maison palatiale de Mary et Tomayo. La Casa propose quatre chambres récemment rénovées, chacune comportant une grande salle de bain. Un grand jardin et une piscine complètent un ensemble harmonieux.

L'architecture coloniale de la vieille ville est enjolivée par les petits coins agréables que se créent les Havanais.
- *P. Escudero*

Le goulet du port de La Havane, où flottent quelques barques, est gardé, en arrière plan, par le Castillo de los Tres Reyes del Morro.
- *Pierre Loubier*

Comme dans toutes les grandes villes, l'art prend à La Havane toutes sortes de formes, telle la peinture sur tissu.
- *P. Escudero*

Le Prado constitue l'un des endroits les plus agréables de la ville, et l'on est sûr d'y faire des rencontres en s'asseyant sur un banc!
- *Pierre Loubier*

Que de découvertes possibles, ici en passant la tête par une fenêtre donnant sur une rue de La Havane...
- *P. Escudero*

oment de grâce à egarder le soleil se coucher dans la mer, depuis le balcon d'une des naisons bordant le Malecón.
- *P. Escudero*

Le chic quartier du Vedado abrite de riches et magnifiques demeures.
- *P. Escudero*

Il peut être agréable de se promener dans la Calle San Rafael du Centro, ce quartier animé où le cœur de La Havane bat à son rythme propre.
- *Pierre Loubier*

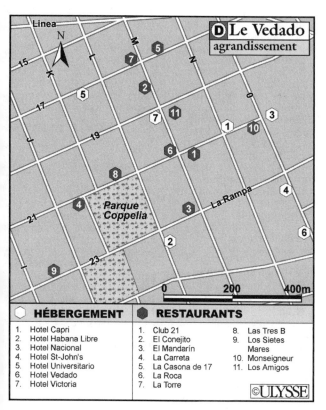

Le Vedado
agrandissement

	HÉBERGEMENT		RESTAURANTS
1.	Hotel Capri	1.	Club 21
2.	Hotel Habana Libre	2.	El Conejito
3.	Hotel Nacional	3.	El Mandarín
4.	Hotel St-John's	4.	La Carreta
5.	Hotel Universitario	5.	La Casona de 17
6.	Hotel Vedado	6.	La Roca
7.	Hotel Victoria	7.	La Torre
		8.	Las Tres B
		9.	Los Sietes Mares
		10.	Monseigneur
		11.	Los Amigos

©ULYSSE

Casa de Marta Díaz
$$

≡, *bc*, *tv*
Calle Calzada n° 452, app. 5, angle Calle F

☎*832-3891*

Cet appartement situé à l'étage possède deux chambres, un salon et une salle de bain. Ici vous vivrez avec des Cubains accueillants.

Hospedaje Gisela Ibarra y Daniel Riviero
$$

≡, ⊗, *bc/bp*, ℝ
Calle F n° 104 (altos), entre Avenida 5 et Calle Calzada

☎*832-3238*

Située dans l'ombre du grand Hotel Nacional, cette *casa particular* propose trois chambres dans une belle résidence de style Art déco. Le petit déjeuner (5$ en sus) est servi dans une salle

Hébergement

à manger ayant un cachet tout à fait cubain, quasi aristocratique. Une grande chambre possède sa propre salle de bain, tandis qu'une autre a sa propre petite terrasse. Les propriétaires, des universitaires à la retraite, accueillent leurs clients comme d'anciens amis retrouvés. La terrasse sur le toit offre une vue intéressante sur les alentours. Si ses chambres sont louées, Gisela vous en suggéra d'autres situées ailleurs dans le quartier.

Hotel Universitario
$$

≡, ℜ, bp, ☎, tvc
Calle 17, angle Calle M et Calle L, en face de la station-service
☎**33-3403**
⇄**33-3027**

L'Hotel Universitario est très accueillant et parfait pour ceux qui veulent éviter les courses en taxi (car il est bien situé) tout en profitant d'un environnement agréable. Le mobilier soigné et bien disposé du hall d'entrée donne un avant-goût du confort qui vous y attend.

Hotel Horizontes Colina
$$$ pdj

≡, ℜ, bp, ☎, tvc
Calle L, entre Calle 27 et Calle Jovelar
☎**33-4071**
⇄**33-4104**

Directement dans l'ombre des majestueux escaliers de l'entrée de l'université, l'Hotel Horizontes Colina n'est pas très invitant. Il manque de lumière, de plantes ou de cette touche qui donne du charme à un endroit. Les amants de littérature cubaine viennent y flâner le soir lors des événements qui leur sont dédiés.

Hotel Horizontes St. John's
$$$

≡, ℜ, bp, tvc
Calle O n° 206, entre Calle 23 et Calle 25
☎**33-3740**
⇄**33-3561**

L'Hotel Horizontes St. John's, au cœur du centre commercial du Vedado, près de La Rampa, offre un excellent rapport qualité/prix. L'accueil est agréable, l'ambiance détendue et les chambres bien entretenues. De nombreux Latino-Américains de passage y logent.

Hotel Horizontes Vedado
$$$

≡, ℜ, bp, tv
Calle O n° 244, entre La Rampa et Calle 25
☎**33-4072**
⇄**33-4186**

L'Hotel Horizontes Vedado a peu de charme, mais est adéquat et bien situé.

Hotel Victoria
$$$$ pdj

≡, ≈, ℝ, ℜ, bp, tvc
Calle 19, angle Calle M
☎**33-3510**
⇄**33-3109**
reserva@victo.gca. cma.net

L'Hotel Victoria se veut le plus chic des hôtels cinq

étoiles de La Havane, car il est destiné aux gens d'affaires en visite dans la capitale. On y offre un service personnalisé et une ambiance de château, le Victoria alliant luxe et tradition dans un cadre bien agréable. L'hôtel demeure de petite taille et bénéficie d'une jolie piscine.

Habana Riviera
$$$$
≡, ℜ, *bp*, ☎, *tvc*
Calle Paseo, angle Malecón
☎ *33-4051*
⇄ *33-3739*

L'Habana Riviera est agréablement situé à côté de la mer. Cet ancien repaire de maffiosi donne une idée de ce à quoi pouvait ressembler la splendeur des années 1950, avant que la région de Miramar ne prenne le relais et n'explose littéralement de complexes touristiques. D'un luxe vieillot et d'un goût un peu bizarre, voire kitsch, l'hôtel est par ailleurs très confortable et offre la plupart des services.

Hotel Presidente
$$$$
≡, ℜ, *bp*, *tv*
Calle Calzada n° 110, angle Avenida G
☎ *55-1801*
⇄ *33-3753*

Magnifique édifice néoclassique construit en 1928, l'Hotel Presidente a un charme certain et sa localisation est parfaite, à deux pas du Malecón. Les chambres ne sont pas très grandes, mais agréables et meublées avec goût. L'endroit est tranquille et vaut définitivement la peine d'être mentionné.

Hotel Meliá Cohiba
$$$$$
≡, ≈, ℝ, ℜ, *bp*, *tvc*
Calle Paseo, angle Calle 1
☎ *33-3636*
⇄ *33-4555*

L'Hotel Meliá Cohiba se révèle être l'hôtel cinq étoiles le plus moderne de Cuba. Symbole du développement phénoménal de l'industrie touristique, il n'a pas de charme typiquement cubain...

Hotel Habana Libre
$$$$$
≡, ≈, ℝ, ℜ, *bp*, *tvc*
Calle L, angle Calle 23
☎ *55-4011*
⇄ *33-3141*

L'Hotel Habana Libre se définit comme un immense établissement aux allures d'usine. Cependant, l'ambiance dans cet ancien Hilton est incomparable. Cet hôtel représente le centre névralgique de La Rampa, et une foule de petits commerces l'entoure.

Hébergement

La bataille de l'Hotel Nacional

Il est difficile de s'imaginer, en contemplant le charme tranquille de l'Hotel Nacional, que l'endroit ait pu être la scène d'une bataille rangée le 2 octobre 1933. Et c'est pourtant en ces lieux où les officiers de l'armée régulière renversés par la «Révolte des Sergents» s'étaient retranchés depuis les premiers jours de septembre, qu'eut lieu l'un des plus violents affrontements de cette révolution de 1933 qui renversa le dictateur Machado.

Près de 300 officiers, au cœur d'un mouvement contre-révolutionnaire, s'étaient donc barricadés dans l'hôtel pour éviter d'avoir à affronter les forces insurrectionnelles. Batista, qui était depuis peu à la tête de l'armée, avait espéré forcer leur reddition en coupant l'électricité et l'eau courante du Nacional, mais, voyant que cela n'affaiblissait en rien la détermination des occupants, il fit sonner la charge le 2 octobre à 6h. D'abord avec l'infanterie légère, puis avec l'artillerie lourde, l'hôtel fut bombardé de tou côtés, jusque de la mer grâce à l'appui du croiseur *Cuba* de la marine cubaine. Ce n'est finalement qu'à 16h45 que les officiers acceptèrent de se rendre. Plusieurs furent abattus sur le champ, alors que l'hôtel était soumis à un pillage systématique par la soldatesque.

Hotel Nacional
$$$$$ pdj
≡, ≈, ℝ, ℜ, bp, tvc
Calle O, angle Calle 21
☎873-3564
⇄873-5054

L'Hotel Nacional se veut sans contredit le plus bel hôtel de La Havane, particulièrement charmant malgré sa taille imposante. Ses cinq étoiles sont amplement méritées. Le mobilier des chambres se révèle ultramoderne. L'entrée de ce château érigé en 1930, les grands jardins et la magnifique piscine vous auront vite fait oublier que vous êtes en plein cœur de la ville. Les chambres avec vue sur la mer s'avèrent particulièrement prisées. Ceux qui recherchent une bonne table pour agrémenter leur voyage seront comblés au buffet. L'ambiance est particulièrement intéressante: journalistes, cinéastes et gens d'affaires se côtoient dans les jardins et le hall d'entrée. L'Hotel Nacional devient d'ailleurs le siège du prestigieux Festival international de cinéma latino-américain de La Havane tous les mois de décembre.

Miramar

Voir plan p 141.

Cette région connaît un rapide développement hôtelier depuis quelques années. On y construit des complexes qui s'étirent chaque fois plus loin le long de la côte vers l'ouest. Les hôtels de Miramar sont ordinairement plus tranquilles que ceux du Vedado et de la vieille Havane. Il faut par contre prévoir argent et temps pour se rendre aux endroits les plus intéressants de la ville.

Il est difficile de trouver des *casas particulares* dans ce quartier.

Residencia Universitaria Ispaje
$$ pc
≡, bp, ☎, tvc, ≈
Avenida 1, entre Calle 20 et Calle 22
☎203-5370

La Residencia Universitaria Ispaje est située en bordure de mer avant les grands complexes. Ce petit hôtel de 12 chambres accueille principalement des professeurs d'université. S'il reste de la place, l'option peut s'avérer intéressante. Les chambres sont propres et bien aménagées, et les piscines extérieures, lorsqu'elles sont effectivement remplies d'eau, offrent une bonne détente.

Hostal Icemar
$$
≡, bp, ☎, tvc, ℜ
104 Calle 16, entre Avenida 1 et Avenida 3
☎203-6130
⇄203-1244

Un peu à l'écart de la zone hôtelière, l'atmosphère de l'Hostal Icemar s'avère nettement moins guindée que celle des énormes complexes de Miramar. Les chambres sont à la fois simples et confortables. Une terrasse dans la cour intérieure est adjacente à une petite cafétéria. Une bonne adresse qui, de plus, se trouve à proximité de la mer.

Hotel Mirazul
$$$
≡, ℝ, ℜ, *tv*
Avenida 5 n° 3603, entre Calle 36 et Calle 40
☎*204-0088*
⇌*204-0045*

Agréable et chaleureux, ce petit hôtel propose huit grandes chambres. L'ambiance cadre bien avec la maison bourgeoise construite à la fin des années 1940 dans laquelle il s'est installé.

Hotel Villamar
$$$
≡, *bp, tv,* ℜ
Avenida 3 n° 2402, angle Calle 24
☎*203-3778*

Aménagé dans une drôle de maison qui fait penser à un château médiéval, le petit Hotel Villamar est un endroit étrange, hors du commun. Les huit chambres qu'il offre sont étroites mais correctes. Toutes bordent une petite terrasse qui donne sur l'Avenida 3.

El Bosque Gaviota
$$$ pdj
≡, ℜ, *bp,* ☎, *tvc,* ≈
Avenida 28A, entre Calle 49A et Calle 49C
☎*204-9232*
⇌*204-5637*

El Bosque Gaviota se trouve en retrait de la côte, et le terrain qui s'étend au-delà de la terrasse descend vers une rivière: c'est beau à couper le souffle. L'hôtel, ouvert depuis 1998, possède un charme indéniable, et ses chambres sont coquettes. Louez une chambre avec vue sur l'arrière-cour débordante de verdure et au panorama incomparable. Le restaurant du Gaviota propose des spectacles de salsa tous les soirs.

Bellocaribe
$$$$
≡, ℜ, *bp,* ☎, *tvc*
Calle 158, angle Calle 31
☎*204-9906 à 09*
⇌*204-6839*

Le Bellocaribe est situé à côté du centre de recherche en biotechnologie de la capitale et accueille d'ailleurs principalement la gent scientifique. Pour les touristes de passage, il n'offre pas vraiment d'avantage, sauf peut-être celui de s'arrêter au «restaurant-buffet». Une superbe jungle format miniature meuble l'espace intérieur.

Hotel Copacabana
$$$$ pdj
≡, ≈, ℜ, *bp, tvc*
Avenida 1, angle Calle 44
☎ *204-1037*
⇆ *204-2846*

L'Hotel Copacabana offre une ambiance chaleureuse et détendue malgré sa taille imposante. Toutes les chambres permettent de voir partiellement la mer. La discothèque de l'endroit est généralement bondée tous les soirs.

Palco
$$$$
≡, ℜ, *bp*, ☎, *tvc*
Calle 146, entre Avenida 1 et Avenida 11
☎ *33-7235*
⇆ *33-7236*

En plus de proposer les mêmes services basiques que les hôtels de catégorie supérieure, le Palco est situé près du centre des congrès. La clientèle des 180 chambres du complexe luxueux y loge généralement pour assister à des conférences et autres colloques.

Hotel Neptuno
$$$$
≡, ≈, ℜ, *bp, tvc*
Avenida 3, angle Calle 70
☎ *204-1606*
⇆ *204-0042*

L'Hotel Neptuno, installé dans une des deux grandes tours près de l'imposante ambassade de Russie, manque résolument de charme. Le béton est prédominant, les meubles aux teintes orangées sont vieillots, et la grande salle à manger ressemble davantage à une cafétéria d'école qu'à un restaurant. Cependant, certaines chambres offrent une vue panoramique sur la mer à partir de leur balcon. La piscine, bordée de jardins, est des plus agréables. L'autre tour loge l'hôtel **Tritón**, quasi identique à son jumeau et administré par la même chaîne. Côté confort, les deux établissements se valent.

Novotel Miramar
$$$$
≡, *bp*, ℝ, ℜ, ≈, ☎, *tv*
Avenida 5, entre Calle 72 et Calle 76
☎ *204-3584*
⇆ *204-3583*

Le Novotel Miramar est un autre de ces complexes hôteliers extra-chics qui ont poussé dans le quartier de Miramar. Il s'agit d'un hôtel moderne et charmant dont le style néo-Renaissance, avec ses fresques murales flottantes, surprend agréablement. Les chambres, tout confort, sont peintes de tons bleus et jaunes reposants. Malheureusement, les vues depuis l'hôtel s'avèrent plutôt déplaisantes: on a l'impression d'être au milieu d'un vaste terrain vague à travers lequel quelques bribes de construction font sentir leurs vains efforts.

Hébergement

L'Office de l'historien de la ville

Depuis 1993, l'Office de l'historien de la ville, sous la gouverne d'Eusebio Leal Spengler, accumule les responsabilités de la restauration et de la mise en valeur des édifices du centre historique de La Havane. Il a transformé le quartier en véritable *work in progress*. Les anciennes demeures ainsi que les palais coloniaux ont été reconvertis en musées, en magasins, en restaurants, ou ont suivi leur vocation première d'hôtellerie. La société Habaguanex, créé par l'Office de l'historien de la ville, gère tous ces établissements, et une grande partie des bénéfices alimentent les fonds destinés à la restauration et à la réanimation culturelle et sociale du quartier.

Des organismes indépendants et originaux, entre autres le Gabinete Arqueológico, assurent la qualité des travaux, tandis que l'indépendance de l'Office de l'historien de la ville garantit le dévelop-

pement économique du secteur. Cette nouvelle richesse patrimoniale et culturelle constitue certainement la meilleure promotion au développement touristique urbain.

Par conséquent, les clients de la chaîne hôtelière Habaguanex profitent d'une promotion unique tout en logeant dans ces édifices coloniaux à caractère exceptionnel. En effet, ces hôtels offrent certains avantages pécuniaires comme l'entrée gratuite dans une dizaine de musées ainsi qu'un rabais de 10% sur la facture des restaurants et des boutiques que possède la chaîne. Ces quelque 50 restaurants, cafétérias et boutiques sont situés dans la vieille Havane, qui comprend les quartiers du Parque Central et du Prado.

La chaîne d'hôtels Habaguanex comprend les établissements suivants:

Hotel Santa Isabel
Hotel Ambos Mundos
Hotel Telégrapho
Hotel Florida
Hotel Armadores de
Santander
Hotel Park View
Hotel Los Frailes
Hotel Conde de
Villanueva

Hotel del Tejadillo
Hotel El Comendador
Hostal Valencia
Hotel San Miguel
Hotel Palacio O'Farrill
Hotel El Mesón de la
Flota
Hotel Raquel
Hotel Beltrán de Santa
Cruz

El Viejo y el Mar
$$$$
≡, ≈, ℝ, ℜ, *bp, tvc*
Marina Hemingway
☎*204-6336*
⇆*204-6823*

L'hôtel El Viejo y el Mar, situé au bout de la Marina Hemingway et administré par la chaîne hôtelière canadienne Delta, affiche le titre du célèbre roman d'Ernest Hemingway. Il est loin du brouhaha de la ville et dispose d'une piscine et d'un gymnase.

Meliá-Habana
$$$$$
≡, ℜ, *bp,* ☎*, tvc,* ≈
Avenida 3, entre Calle 76 et Calle 80
☎*204-8500*
⇆*204-8505*
***depres@habana.solmelia.
cma.net***

Le Meliá-Habana est le *nec plus ultra* du luxe avec tous les avantages imaginables. Difficile de se représenter des chambres au confort

plus élaboré. L'hôtel donne sur la mer, mais la plage (comme dans toute la région de Miramar d'ailleurs) n'est pas aménagée. Par contre, les piscines sont ici des plus agréables grâce à leur taille imposante et aux nombreuses promenades qui les encerclent. L'hôtel se trouve à mi-chemin entre la vieille ville et l'aéroport. De plus, un autobus gratuit fait la navette entre l'hôtel et la vieille ville quatre fois par jour.

Les plages de l'Est

Au départ de La Havane, en direction de Matanzas et de Varadero, vous verrez de nombreux hôtels en bordure de mer, pour tous les goûts et toutes les bourses. Également, dans ces petits villages côtiers, vous pourrez facilement trouver une *casa particular* et parfois

Hébergement

même louer une maison complète. Cette formule est sans aucun doute la plus économique. Il vous suffit pour cela de demander à un Cubain, dans les restaurants, les hôtels ou les boutiques, s'il connaît un endroit sûr, confortable et amical: *¿Conoce alguien que alquila cuartos?* Et le tour est joué! Les *casas particulares* sont autorisées, mais le propriétaire doit verser une somme de 100$ par mois à l'État. Plusieurs Cubains choisissent donc de faire affaire dans l'illégalité. Vous trouverez les chambres et les hôtels les moins chers à Boca Ciega et à Guanabo.

Camping El Abra
$ par cabane
ℜ, ≈, ⊗

Sur la route des plages de l'Est, qui mène jusqu'à Varadero et à la province de Matanzas, deux campings sont ouverts toute l'année et se trouvent à environ 65 km de La Havane. Le Camping El Abra se présente comme un lieu de détente où l'on peut aussi louer de simples cabanes. La plage de l'endroit est splendide, surtout grâce au cadre naturel qui l'entoure. Blotti entre la mer et deux collines, le camping El Abra possède de bonnes installations. On y donne des cours d'initiation à la plongée sous-marine en piscine, et l'on y vend aussi

des forfaits pour des sorties en mer au départ de la marina de Canimar. Des excursions sur la rivière Canimar y sont aussi organisées. Si les fonds marins devant le Camping El Abra se révèlent superbes, il en est de même pour les sentiers dans les montagnes environnantes. Quelques chemins sont aménagés pour les amants de la nature, où l'on peut observer à son aise la faune et la flore. Les repas servis au restaurant sont excellents, surtout si vous mangez à la carte. Le porc est la spécialité de l'établissement. Cependant, si vous choisissez une *cabaña*, assurez-vous d'abord de la propreté de celle-ci. Aussi, veillez à ne pas y laisser de nourriture puisque des rongeurs (écureuils, rats des champs) semblent faire leur tournée pendant l'absence des occupants.

Villa Playa Hermosa
$$
Avenida 7, entre Calle 472 et Calle 474
☎ 96-2774

Au pied d'une colline et près de la mer se trouve la Villa Playa Hermosa, une série de petits cottages offrant toutes les commodités. Cet endroit s'avère malheureusement un peu bruyant puisqu'il est situé près de l'Avenida 5, sur laquelle circulent autobus et camions pendant le jour.

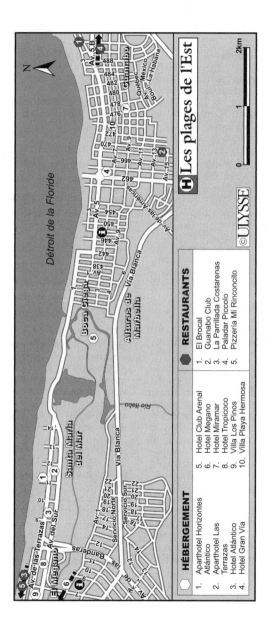

Les plages de l'Est

HÉBERGEMENT

1. Aparthotel Horizontes Atlántico
2. Aparthotel Las Terrazas
3. Hotel Atlántico
4. Hotel Gran Vía
5. Hotel Club Arenal
6. Hotel Megano
7. Hotel Miramar
8. Hotel Tropicoco
9. Villa Los Pinos
10. Villa Playa Hermosa

RESTAURANTS

1. El Brocal
2. Guanabo Club
3. La Parrillada Costarenas
4. Paladar Piccolo
5. Pizzería Mi Rinconcito

© ULYSSE

0   1   2 km

Hotel Gran Vía
$$
≡, ℜ, *bp*, ☎, *tvc*
angle Avenida 5 et Calle 462, Guanabo
☎*96-2271*

L'Hotel Gran Vía est évidemment moins luxueux que ses voisins, mais le confort demeure excellent. Les chambres se révèlent invitantes quoique exiguës. Un restaurant et un bar des plus chaleureux se trouvent dans le bâtiment. Cet endroit est idéal pour quiconque désire flâner sur la plage sans avoir à payer un prix exorbitant pour son gîte.

Hotel Miramar
$$$
ℜ, ℜ, *bp*, *tv*, ⊗
angle Avenida 9, entre Calle 476 et Calle 478, Guanabo
☎*96-2507 ou 96-2262*

À Guanabo, l'Hotel Miramar est juché sur une colline qui surplombe la mer. Cet établissement tranquille et accueillant s'avère beaucoup moins touristique que ceux de Santa María. Les chambres sont petites mais sympathiques, et certaines offrent une vue sur la mer. Des fêtes et des barbecues sont régulièrement organisés au bord de la piscine; il est donc conseillé, à ceux qui préfèrent la tranquillité, d'éviter les chambres donnant sur cette dernière.

Panamericano Horizontes Resort
$$$
≡, ℜ, *bp*, ☎, *tvc*, ≈
angle Calle A et Avenida Central, Cojimar
☎*33-8545 ou 33-8811*
⇌*33-8580*

Le Panamericano Horizontes Resort est le premier hôtel de la région des plages de l'Est qu'on voit lorsqu'on arrive de la capitale. Sa principale lacune est qu'il est situé avant ces plages. En revanche, un service de minibus offert par l'hôtel vous permet de partir à la découverte de La Havane chaque jour. Construit pour accueillir les dignitaires et autres consuls des Jeux panaméricains de 1991, l'établissement affiche un style sans éclat et laisse déjà paraître des signes de vieillissement. Par contre, la présence d'un bar, de plusieurs restaurants, d'une piscine et d'une discothèque rend les lieux plus attrayants et compense pour la petite taille des chambres.

Marina Puerto Sol Tarará
$$$
≡, ℜ, *bp*, ☎, *tvc*, ≈
Vía Blanca, Km 19, Tarará
☎*97-1462*
⇌*97-4499*

Avant la Révolution, les riches bourgeois américains venaient passer leurs vacances à la Marina Puerto Sol Tarará. Aujourd'hui... les bourgeois d'autres pays viennent profiter de cet endroit béni des dieux. Avec ses maisonnettes bien aménagées et ses nombreux services, la marina en attirera plus d'un. On peut entre autres y profiter d'un spa où sont pratiqués massages et traitements à base d'acupuncture. Aux plus sportifs, des cours d'initiation à la plongée sous-marine sont également proposés. La plage est très agréable parce qu'elle demeure plus privée et donc moins fréquentée.

Hotel Megano
$$$
≡, ℜ, *bp*, ☎, *tvc*, ≈
Vía Blanca, Km 22
☎*97-1610*
⇄*97-1624*

L'Hotel Megano est à 500 m de la plage et ne semble fonctionner qu'avec certaines agences spécifiques. Les attraits de cet endroit sont nombreux et luxueux. Le bar et le restaurant, en raison de leur luminosité naturelle et de leur aménagement aéré, sont particulièrement invitants. En ce qui concerne les chambres elles-mêmes, toutes ont vue sur la mer et disposent d'un confort acceptable. Il est aussi possible, moyennant des frais supplémentaires, d'obtenir un forfait en demi-pension.

Aparthotel Horizontes Atlántico
$$$
≡, ℂ, ℝ, ≈, ℜ, *bp*, *tv*
Avenida de las Terrazas n° 21, entre Calle 11 et Calle 12, Santa María del Mar
☎*97-1203*
⇄*97-1494*

La station balnéaire de Santa María compte de nombreux hôtels longeant une plage de sable blanc sur une distance de quelques kilomètres. L'Aparthotel Horizontes Atlántico représente le choix le plus économique de Santa María. Les chambres sont garnies d'un mobilier simple et offrent toutes un balcon et un réfrigérateur, et certaines disposent d'une cuisine et d'une salle à manger. Vous n'aurez qu'à traverser la rue et vous serez sur la plage.

Hotel Horizontes Tropicoco
$$$ pc
≡, ≈, ℜ, *bp*, *tvc*
Avenida de las Terrazas
☎*97-1371*
⇄*97-1389*

L'un des plus populaires hôtels de Santa María est sans contredit l'Hotel Tropicoco. Les repas, les boissons, les activités sportives non motorisées (bicyclette, planche à voile, catamaran) font partie du forfait «tout inclus» de cet hôtel de 188 chambres, dont plusieurs ont vue sur la mer. Sa discothèque est très courue la nuit tombée.

Hébergement

Aparthotel Las Terrazas
$$$
≡, ℂ, ℝ, ℜ, *bp*, ☎, *tvc*, ≈
Avenida de las Terrazas, près de Calle 10, Playa Santa María del Mar
☎97-1344
⇄97-1316
À quelques enjambées de la mer turquoise, l'Aparthotel Las Terrazas propose des appartements tout équipés, simples et confortables. La plage est agréable, mais souvent très fréquentée les fins de semaine. Si l'intérieur de l'établissement est particulièrement sympathique, on ne peut en dire autant de l'extérieur: le bâtiment ressemble à un pavillon d'hôpital avec son vert pâle qui tente en vain de rappeler la mer. Mieux vaut aller directement à la plage!

Hotel Club Arenal
$$$$ pc
≡, ℜ, *bp*, ☎, *tvc*, ≈
Avenida de las Terrazas, Laguna de Boca Ciega
☎97-1272
⇄97-1287
srosso@pantravel.ch
À l'entrée de Boca Ciega et aux abords du Río Itabo, l'Hotel Club Arenal se dresse sur une petite péninsule entourée d'une flore tropicale. Complètement reconstruit en 1998, cet énorme complexe de 156 chambres de type «tout compris», remplace l'ancien petit Hotel Itabo qui s'y trouvait autrefois. Géré par des Italiens et très luxueux, il saura satisfaire les clients les plus difficiles avec son personnel accueillant, ses chambres spacieuses, ses courts de tennis, sa tranquillité, sa propreté, ses bars, ses restaurants et ses nombreuses activités.

Hotel Atlántico
$$$$ pc
≡, ≈, ℜ, *bp*, *tvc*
Avenida de las Terrazas n° 21
☎97-1085 à 89
⇄80-3911
En face de l'Hotel Club Arenals'élève le grand Hotel Atlántico. Cet hôtel se révèle plutôt moderne et bien entretenu. Le service est correct, et le bâtiment donne directement sur une portion surveillée de la plage. Vous pourrez aussi profiter d'un complexe sportif (tennis, tir à l'arc, etc.), de plusieurs restaurants et d'une discothèque.

Villa Los Pinos
$$$$$
≡, ℝ, ℂ, *bp*, *tvc*
Avenida de las Terrazas
☎97-1361
⇄80-2144
Si vous voyagez en groupe ou en famille (maximum de quatre personnes), vous pouvez louer une maison à la Villa Los Pinos, à l'entrée de Santa María. Vous y trouverez des maisons entièrement rénovées comprenant deux chambres à coucher et situées près de la mer dans un cadre tranquille.

Restaurants

À La Havane,
se nourrir n'est pas un problème, et vous aurez le choix entre des restaurants et des *paladares*.

Les restaurants destinés à une clientèle touristique servent en général une nourriture de qualité, alors que dans les restaurants cubains, où l'on paie en *moneda nacional*, on n'est sûr que d'une chose: des prix ridiculement bas.

Les *paladares*, eux, sont de petits restaurants familiaux qui possèdent un permis pour servir une douzaine de personnes. L'ambiance y est ordinairement agréable et la nourriture excellente, bien qu'assez chère si l'on pense qu'un repas coûte entre 8 et 10 dollars. Pour trouver un *paladar*, laissez-vous guider. Vous serez probablement approché, bien souvent durant votre séjour, par une de ces jeunes personnes qui arpentent continuellement les rues de la ville à la recherche de touristes à satisfaire.

Notez que, en plus des endroits mentionnés dans les pages qui suivent, presque tous les hôtels abritent un ou plusieurs restaurants.

Les prix mentionnés dans ce guide s'appliquent à

un dîner pour une personne, excluant le service (voir «Les pourboires», p 83) et les boissons.

$	moins de 12$
$$	de 12$ à 22$
$$$	plus de 22$

C'est généralement selon les prix des tables d'hôte du soir que nous avons classé les restaurants, mais souvenez-vous que les déjeuners sont souvent beaucoup moins coûteux.

Bateau Ulysse

Le pictogramme du bateau Ulysse (voir p 151) est attribué à nos établissements favoris.

La cuisine cubaine

La cuisine cubaine s'avère succulente. Le porc est la viande préférée des insulaires. Il est cuisiné de différentes façons (au four, grillé et frit) et souvent badigeonné de *mojo*, une sauce à base d'huile, de citron et d'ail. Le riz, les bananes plantains et le manioc accompagnent cette viande. L'*arroz morro*, ou *congrí*, est du riz cuit avec des haricots noirs ou rouges, des oignons et des épices, et vous pourrez le commander dans tous les bons restaurants de cuisine créole. Étonnamment, les Cubains consomment peu de poisson. Les fruits de mer, entre autres la langouste, sont proposés dans de nombreux restaurants.

Lexique gastronomique

Agua	eau
Ajo	ail
Arroz	riz
Batido	boisson à base de jus de fruits, de glace et de lait
Camarones	crevettes
Carne	viande
Carne de res	bœuf
Cerveza	bière
Chicharrón	viande ou poulet mariné et cuit
Chuleta	côtelette
Conejo	lapin
Empanadas	petits chaussons farcis de viande ou de légumes
Filete	bifteck
Granadilla	grenadine
Huevo	œuf
Jamón	jambon
Jugo	jus
Langosta	langouste
Leche	lait
Limón	citron
Mariscos	fruits de mer
Mermelada	confiture
Naranja	orange

Pan	pain
Papas fritas	pommes de terre frites
Pescado	poisson
Piña	ananas
Plátanos	bananes
fritos	plantains frites
Pollo	poulet
Pollo frito	poulet frit
Postre	dessert
Queso	fromage
Sopa	soupe
Tortilla	galette de maïs
Tostada	pain grillé
Vino	vin
Zanahoria	carotte

La vieille ville

Voir plan p 87.

La vieille ville regorge de bons restaurants. Depuis quelques années, leur nombre a considérablement augmenté pour répondre à la demande toujours croissante des touristes, et de ces nouveaux établissements certains sont d'une classe tout à fait respectable.

Antonio Pérez Alonso
$
12h à 23h
Calle San Ignacio n° 77
La cuisine de ce petit *paladar* est excellente et sans prétention. Vous aurez le choix entre quatre plats, et, si vous aimez les filets de poisson, offrez-vous le succulent *pescado a la plancha*. La salle à manger, un peu à l'étroit, donne sur une rue tranquille, ce qui permet un dîner intime.

La Julia
$
12h à 24h
Calle O'Reilly n° 506, entre Calle Bernaza et Calle Villegas
☎62-7438
Malgré l'achalandage de la Calle O'Reilly, l'ambiance du *paladar* de Julia et sa famille s'avère chaleureuse, le service empressé et courtois, et les portions abondantes. On y sert surtout de délicieux plats créoles. Essayez les *moros y cristianos*, des haricots noirs et du riz blanc servis avec du poulet ou du porc rôti.

La Moneda Cubana
$
lun-sam 12h à 22h
Calle San Ignacio, entre Calle O'Reilly et Calle Empedrado
☎67-3852
La Moneda Cubana tient son nom des billets d'un peu partout dans le monde collés aux murs de la salle à manger. Le menu tout à fait cubain de ce *paladar* des frères Rafael et Antonio saura vous plaire. Ici, l'habituel poulet ou porc ou encore les haricots créoles se distinguent favorablement.

Café Taberna
$
11h à 24h
Calle Mercaderes, angle Calle Brasil
(Calle Teniente Rey)
☎*61-1937*

Lieu de rencontre des amateurs de *son* et de boléro, le Café Taberna est aménagé dans une vaste salle aérée où la musique du Buena Vista Social Club flotte en permanence. Aussi connu sous le nom Café Beny Moré, le restaurant offre un menu intéressant et une atmosphère véritablement havanaise. Les plats de poulet et de porc s'avèrent copieux; les laits fouettés, rafraîchissants.

Cafetería Mirador de la Bahía
$
9h à 22h
Calle Obispo n° 59, entre Calle Oficios et Calle Baratillo

Pour la vue, la Cafetería Mirador de la Bahía est imbattable. Juste devant la Plaza de Armas, la perspective que l'on a sur la baie de là-haut est magnifique. On en arrive à oublier la nourriture… En fait, mieux vaut n'y prendre qu'un verre et apprécier le spectacle. On accède au toit en entrant par la porte mitoyenne de l'édifice et en se rendant au fond du couloir où se trouve un ascenseur.

Los Dos Hermanos
$
24 heures sur 24
Avenida San Pedro, angle Calle Sol

Au bout de l'Alameda de Paula, ce petit restaurant sympathique propose des repas légers depuis plus de 100 ans. Il offre une ambiance portuaire non dénuée de charme, bien qu'un peu bruyante. Vous y trouverez un patio où ce désagrément est quelque peu atténué. Poulet, poisson, frites: le menu reflète bien l'endroit. Au mur du bar, à l'entrée du restaurant, quelques vieilles photos donnent une perspective intéressante sur ce coin de la ville.

Doña Eutimia
$
Callejón del Chorro n° 62

Situé au bout d'une petite ruelle sans issue donnant sur la Plaza de la Catedral, le plus populaire *paladar* de la vieille Havane est sans contredit le Doña Eutimia, occupant une petite et chaleureuse maison coloniale qui appartient à un sculpteur. La cuisine créole y est savoureuse, surtout le *cerdo asado* (porc au four). Si vous faites partie d'un groupe, il serait préférable de réserver à l'avance puisqu'il est généralement bondé. Si tel est le cas, six autres *paladares* ont pignon sur rue dans le charmant cul-de-sac du Callejón del Chorro.

Restaurants

Café Paris
$

24 heures sur 24
Calle San Ignacio n° 202, angle Calle Obispo
☎62-0466

Le Café Paris est également situé dans la vieille partie de la ville. On y sert des repas simples (poulet, pointes de pizza...) à prix abordable. Un comptoir est ouvert sur le côté 24 heures sur 24. Il y a parfois de l'animation musicale, par intervalles, et habituellement sous forme de musique latine provenant d'une chaîne stéréo.

Torre de Marfil
$

mar-dim 12h à 22h
Calle Mercaderes, entre Calle Obispo et Calle Obrapía
☎57-1038

Les amateurs de cuisine cantonaise se rendront au Torre de Marfil. La variété de plats est assez surprenante ici. Essayez le savoureux poulet à la cantonaise.

La LLuvia de Oro
$

24 heures sur 24
Calle Obispo n° 316, angle La Habana
☎62-9870

Avec son long comptoir qui ne semble jamais finir, La LLuvia de Oro est un endroit bien agréable où l'on vient manger à toute heure de la journée. Son menu offre la variété des petits casse-croûte habituels: poulet, pizza, sandwichs, pâtes...

Cafetería Torre La Vega
$

lun-sam 9h à 19h
Calle Obrapía n° 114, entre Calle Oficios et Calle Mercaderes

À côté de la Casa de México, la Cafetería Torre La Vega est une bonne option pour qui veut manger à bon compte. Les spaghettis sont servis en généreuses portions et coûtent à peine 1$. Attention cependant, car l'établissement ferme ses portes dès 19h, et il vous faudra parfois littéralement vous frayer un chemin jusqu'au comptoir, tant est nombreuse la clientèle. Les bas prix pratiqués ici ne laissent pas les Cubains indifférents!

Restaurante Hanoi
$

12h à 23h
Calle Teniente Rey n° 507, angle Calle Bernaza
☎57-1029

Le Restaurante Hanoi propose un menu nettement plus proche de la cuisine cubaine que de celle du Vietnam. Le contraire serait d'ailleurs étonnant puisqu'il existe une pénurie de denrées alimentaires au pays. Le restaurant met donc à la disposition des clients un menu à base de poulet, de porc ou autre viande que l'on déguste avec une portion de riz et de haricots. L'endroit est tranquille la plupart du temps.

Puerto de Sagua
$-$$
12h à 24h
Avenida de Bélgica, angle Calle Acosta
☎857-1056

Si vous vous retrouvez tout près de la gare ferroviaire et de la Casa de Martí, vous ne pourrez pas manquer ce restaurant. Il ressemble à un bateau jaune et bleu avec ses fenêtres en forme de hublots qui, de fait, sont des aquariums. Spécialisé dans les fruits de mer, il sert une paella Puerto de Sagua à 12$ pour deux personnes, un véritable cadeau de la mer.

El Baturo
$-$$
12h à 24h
Avenida de Bélgica, entre Calle Jesús María et Calle Merced
☎860-9078

Dans cet autre restaurant de poissons et fruits de mer, l'ambiance est agréable et décontractée. Bonne adresse, sans fard et sans prétention.

Gentiluomo
$-$$
12h à 24h
Calle Obispo, angle Calle Berneza
☎57-1299

Situé juste à l'arrière d'El Floridita, ce restaurant italien abordable offre des portions généreuses, et la nourriture s'y révèle délicieuse. Un bon endroit pour la pizza et les pâtes.

Los Marinos
$-$$
12h à 24h
Avenida del Puerto, angle Calle Justiz
☎57-1402

Caché derrière la Plaza de Armas, Los Marinos propose un menu de poissons et fruits de mer sur un quai transformé en restaurant. On a l'impression de flotter sur l'eau ici. Le soir, avec les lumières de la baie, l'endroit revêt quelque chose de surréaliste.

La Mina
$-$$
24 heures sur 24
Calle Obispo, angle Calle Oficios
☎860-0216

Ce restaurant, qui semble occuper tout un coin de la Plaza de Armas, sert une cuisine cubaine dans un décor typique. Encore une fois, il semble que la situation géographique de l'endroit ait quelque peu pris le dessus sur la cuisine.

Bar Restaurant Cabaña
$$
Calle Cuba n° 12, angle Calle Peña Pobre
☎860-5670

Ceux qui ont un appétit d'ogre choisiront le Bar Restaurant Cabaña. Ce restaurant a rapidement gagné en popularité grâce à sa politique de «mangez tout ce que vous pouvez». On vous laissera ainsi répéter votre choix de plats créoles. Situé à l'entrée de La Havane près de l'ancien château qui abrite aujourd'hui un poste de police, l'établissement s'avère sympathique, mais le service est parfois expéditif.

Castillo de Farnés
$$
12h à 24h
Calle Monserrate 361, angle Obrapía
☎*867-1030*

Dans la vieille Havane, le Castillo de Farnés attire beaucoup de clients en raison de sa renommée. Son décor fait penser à un ancien pub anglais. La cuisine internationale est de bonne qualité, et une ambiance décontractée, voire bohème, s'y fait parfois sentir.

Restaurante Al Medina
$$
12h à 24h
Calle Oficios n° 12, entre Calle Obispo et Calle Obrapía
☎*867-1041*

À l'ouest de la Plaza de Armas, empruntez la Calle Oficio. À l'intérieur de la Casa del Arabe, qui présente des expositions ethnologiques et culturelles, se cache le Restaurante Al Medina. Construite en 1688 et maintenue parfaitement dans son état d'origine, cette maison présente une architecture mozarabe. Le restaurant est situé à l'étage. Décoré de poufs et de coussins selon la tradition arabe, il est bordé d'une mezzanine très fraîche où l'on cultive de la vigne. C'est un endroit idéal pour

échapper aux rigueurs de la chaleur tropicale et au brouhaha de la ville; une véritable oasis quoi! La cuisine et le menu d'Al Medina sont sans pareils à La Havane. Les viandes grillées sauront plaire au plus fin des palais.

🍴 D'Giovanni's
$$
Calle Tacón, entre Calle Empedrado et Calle O'Reilly
☎*860-5979*

Au D'Giovanni's, vous l'aurez deviné, ceux qui s'ennuient de la cuisine italienne s'y donnent rendez-vous. Cet établissement s'avère chaleureux et confortable, et vous serez rarement déçu de la cuisine. La vue sur la forteresse est magnifique d'ici.

🍴 La Dominica
$$-$$$
12h à 24h
Calle O'Reilly, angle Calle Mercaderes
☎*860-2917*

D'un chic parfait, le décor de ce restaurant est clair et soigné. On y sert une cuisine italienne tout à fait délicieuse, et la carte des vins a de quoi satisfaire les clients exigeants.

🍴 Café de Oriente
$$$
12h à 1h
Calle Oficios, angle Calle Amargura
☎*860-6686*

Juste devant la Plaza de San Francisco, le décor de ce magnifique restaurant est d'un goût parfait. On y sert une cuisine internationale délicieuse dans un cadre à couper le souffle. À l'étage, le plafond de verre vaut à lui seul une visite. La carte des vins est certainement l'une des plus complètes de La Havane. L'endroit abrite aussi un café-bar ouvert 24 heures sur 24 où l'on peut entendre de la musique cubaine tous les soirs.

La Bodeguita del Medio
$$$
Calle Empedrado n° 207, entre Calle San Ignacio et Calle Cuba
☎ *867-1374*
Véritable institution de la cuisine cubaine, La Bodeguita del Medio vaut une visite en soi. Typique à souhait, l'endroit est généralement bondé de touristes à l'intérieur et de Cubains à l'extérieur. La petite rue sur laquelle il se trouve est le rendez-vous des *jineteros*, et l'on vous abordera sans doute pour un dollar, un stylo ou l'achat d'une boîte de (faux) havanes.

L'ambiance est particulièrement à la fête dans ce restaurant. Les murs sont couverts de graffitis, de signatures, de poèmes et de pensées manuscrites créées par des citoyens du monde au cours des ans, mais également par des personnages aussi célèbres qu'Ernest Hemingway et Fidel Castro. Hemingway avait l'habitude de prendre ici un *mojito*; il

est donc de mise, pour suivre la tradition, de goûter à ce cocktail à base de rhum, de sucre et de menthe. On y fait une cuisine créole composée de porc, de riz, de haricots noirs et de manioc servis dans une sauce à l'huile et à l'ail appelée *mojo*. Si la table de cet établissement est reconnue, l'achalandage a réduit quelque peu la qualité des repas. Cependant, vous en repartirez rarement déçu; c'est donc un établissement à ne pas manquer. N'hésitez pas à vous frayer un chemin dans la foule qui se masse habituellement devant ce restaurant, ne serait-ce que pour aller prendre un *mojito* au bar.

El Patio
$$$
☎ *867-1034*
Sur la Plaza de la Catedral, El Patio est toujours fort animé et convivial. Sa cour à ciel ouvert vous plongera irrémédiablement dans une ambiance coloniale, avec sa jolie fontaine et les nombreuses plantes tropicales qui y poussent, et vous y trouverez du même coup un abri pour vous protéger du soleil. Les musiciens redoublent d'ardeur tant à l'intérieur de la cour qu'à la terrasse qui donne sur la Plaza de la Catedral.

La cuisine de cet établissement est de qualité, surtout pour le menu créole. Pour profiter de l'endroit, vous pouvez jeter votre dévolu sur le menu de cafétéria de la terrasse. Dans ce cas, choisissez le poulet frit pour le déjeuner. Sinon, la terrasse demeure un excellent endroit de la vieille ville pour prendre un apéro l'après-midi, tant et aussi longtemps que la présence de nombreux touristes ne vous gêne pas.

El Floridita
$$$
angle Calle Obispo et Calle Monserrate
Sans nul doute le plus célèbre restaurant de La Havane, El Floridita vous promet une aventure historique unique mais très dispendieuse. Ce restaurant, de loin le préféré d'Hemingway, fait honneur aux fruits de mer. L'histoire d'El Floridita remonte à plus de 180 ans, et on le considère comme le berceau du daïquiri. Demandez le *papa especial*, avec double ration de rhum, comme le commandait l'illustre écrivain.

El Morro et la Cabaña

Los XII Apóstoles
$
12h à 23h
Vía Monumental, Castillo de los Tres Reyes del Morro
Pour se rendre au restaurant Los XII Apóstoles, il faut prendre le tunnel vers les Playas del Este et tourner à gauche après le péage de l'autoroute. Le restaurant est situé au pied du phare d'où la vue sur le Malecón, de l'autre côté de la baie, est magnifique. On y sert une excellente cuisine *criollo*, beaucoup moins dispendieuse que celle du restaurant La Divina Pastora, situé près de la forteresse San Carlos de la Cabaña. Après la visite des deux forteresses, vous serez certainement convié à participer à la fête qui commence quand l'afflux des Cubains surgit, soit vers 23h.

La Divina Pastora
$$-$$$
12h à 23h
près de la Forteleza San Carlos de la Cabaña, Parque Militar Morro-Cabaña
☎33-8341
Pour se rendre au restaurant La Divina Pastora, il faut prendre le tunnel vers les Playas del Este et tourner à droite après le péage de l'autoroute. Le restaurant est situé au pied de la Forteleza San Carlos de la Cabaña, de l'autre côté de la baie. Ici on sert des spécialités de poisson et de langouste bien cuisinées, dans un grand restaurant tout en longueur et doté d'une agréable terrasse couverte. Comme chez son voisin Los XII Apóstoles, vous serez protégé de l'achalandage de la vieille ville et bénéficierez d'une magnifique vue sur le grand port de La Havane. L'orchestre de huit

Restaurants

musiciens compense les coûts artificiellement gonflés des repas.

Regla et Guanabacoa

Mi Rinconcito

$

12h à 24h

Calle Maceo nº 108, angle Calle La Piedra, Regla

Petit *paladar* situé tout près de la Galería Taller A. Canet, l'endroit est simple, et l'on y sert une nourriture correcte.

Sylvain Postelería

Calle Pepe Antonio nº 366, Guanabacoa

À deux pas du Parque Martí, Sylvain Postelería est une pâtisserie surprenante. C'est juste si l'on n'y trouve pas des croissants.

Le Prado et le Centro

Voir plans p 119 et 127.

Le Prado et le Centro ne sont pas des secteurs riches en gastronomie. Les *paladares* y sont toutefois nombreux, surtout dans la zone longeant le Prado, et, si vous déambulez sur la promenade à l'heure des repas, il est probable que l'on proposera de vous conduire aux meilleures adresses.

Bellomar

$

12h à 24h

Calle Virtudes nº 169, angle Calle Amistad

☎**61-0023**

La façade rose, le décor sommaire et le service attentif donnent à ce minuscule *paladar* une authenticité havanaise peu commune. Les friands de poisson ou de viande seront rassasiés. Certains trouveront les prix un peu exagérés, vu le manque de confort et l'étroitesse des lieux.

Doña Blanquita

$

12h à 24h

Paseo de Martí (Prado) nº 158 , entre Calle Colón et Calle Refugio

☎**67-4958**

Le *paladar* de Doña Blanquita se trouve à l'étage. Demandez qu'on vous attable au balcon qui donne sur le Prado. Le décor kitsch du Doña Blanquita est unique; le plastique domine avec des représentations en trois dimensions du Christ, du Bouddha, de chefs amérindiens, etc. Le Doña Blanquita propose une cuisine tout à fait cubaine: haricots, riz et porc ou poulet.

La Guarida
$$
*lun-ven 11h à 14h et 19h à
23h, sam-dim 19h à 23h*
Calle Concordia n° 418, entre Calle
Gervasio et Calle Escobar
☎62-4940
La renommée de ce *paladar*
n'est plus à faire. C'est ici
qu'au début des années
1990 les scènes intérieures
du film cubain *Fresa y Cho-
colate* furent tournées. Les
propriétaires, un couple
d'artistes, ont conservé cer-
taines reliques de ce film
culte. Il faut savoir que
l'endroit est difficile à trou-
ver, et, si les bâtiments en-
vironnants sont délabrés, le
restaurant lui-même a été
restauré avec goût. On y
sert une bonne cuisine qui
sort de l'ordinaire. Malgré
les prix élevés, l'établisse-
ment vaut le détour. Réser-
vations fortement recom-
mandées.

Pizza Nova
$
11h à 1h
Avenida de Italia (Galiano), angle
Calle Concordia
☎24-6969
Un peu différente des au-
tres chaînes de restauration
rapide, Pizza Nova propose
des pizzas «personnalisées».
Vous ajoutez ce que vous
voulez à la croûte badi-
geonnée de sauce tomate et
couverte de fromage. Le
prix sera proportionnel aux
garnitures que vous aurez
choisies: 1$ pour un peu
d'ail mais 10$ pour de la

langouste. Vous pouvez
commander à l'avance par
téléphone, mais on n'y fait
pas de livraison.

Le **Barrio Chino** (quartier
chinois) de La Havane, situé
derrière le Capitole, n'est
plus ce qu'il était. La partie
aménagée du vieux quartier
se trouve le long de la Calle
Cuchillo de Zanja, cette
petite rue piétonne longue
d'une cinquantaine de mè-
tres. Surnommée le Bulevar
del Barrio Chino, la Calle
Cuchillo de Zanja est
bordée de nombreux res-
taurants, chacun avec sa
terrasse. Vous serez sollicité
par les serveurs qui vous
prieront d'entrer dans le
«meilleur» restaurant chinois
en ville. Les menus sont
tous plus ou moins sembla-
bles, et les prix modiques.
Vous pouvez facilement
manger ici pour moins de
8$. Les heures d'ouverture
sont de 11h à 24h. Dignes
de mention sont le **Luna de
Oro**, pour le service, et le
Tien Tan, un peu plus dis-
pendieux, pour les plats
aigres et sucrés.

Los Tres Chinitos
$
24 heures sur 24
Calle Dragones, entre Calle Manrique
et Calle San Nicolás
☎35-5357
Un peu en retrait de la rue
piétonnière qu'est la Calle
Cuchillo de Zanja, vous
trouverez plusieurs restau-
rants chinois présentant, à

peu de chose près, la même carte à prix abordable. C'est sa salle à manger qui distingue le restaurant Los Tres Chinitos (les trois petits Chinois). On y a copié le décor que l'on retrouve dans la plupart des restaurants chinois en Occident, avec les lampes, le bouddha et l'aquarium. Les propriétaires de Los Tres Chinitos font partie de la société Sue Yuen Tong, en l'honneur des trois frères descendants de l'ancienne famille impériale Fong. On retrouve cette société au Canada, au Brésil, au Mexique et au Panamá.

Le Vedado

Voir plan p 161.

Ce quartier possède de nombreux restaurants dont plusieurs ont malheureusement subi les contrecoups de la crise économique sévère qui a frappé le pays. Cependant, quelques restaurants, dont certains sont devenus au cours des ans de véritables institutions de la cuisine cubaine, ont retrouvé leur réputation d'antan. Il y a aussi de nouveaux venus, dont plusieurs *paladares* charmants et de qualité.

Paladar Amor
$
12h à 24h
Calle 23 n° 759, entre Avenida B et Avenida C
☎*83-8150*
Quelle trouvaille! Un des meilleurs *paladares* du Vedado est aménagé dans un immense et magnifique appartement qui n'a rien perdu de son cachet. Le décor et les meubles des années 1930 de la salle d'entrée s'avèrent d'un style étonnant. La cuisine originale de ce quasi-musée est succulente. Essayez le poulet aux arachides ou l'escalope de dinde au parmesan, vous vous en délecterez. La musique d'ambiance de l'orchestre La Azotea de Elda charme les convives tous les premiers dimanches du mois.

Las Tres B
$
12h à 24h
Calle 21 n° 164 (alta), entre Calle K et Calle L
☎*832-3085*
Situé juste derrière le Parque Coppelia, Las Tres B (*bueno, bonito, barrato:* beau, bon, pas cher) est un agréable *paladar* où l'on sert une cuisine créole depuis 1965. L'endroit est charmant et la cuisine délicieuse, mais l'entrée est difficile à trouver.

El Cochinito
$
12h à 24h
La Rampa, entre Calle H et Calle I
☎*32-6256*
Comme son nom le laisse deviner, ce restaurant se spécialise dans les plats de porc. Il y a deux menus, l'un avec les prix en dollars et l'autre en pesos. Essayez de vous faire donner le second si vous êtes près de vos sous. Un immense arbre tropical orne la cour.

Los Sietes Mares
$
12h à 22h
La Rampa, angle Calle J
☎*832-9226*
Los Sietes Mares est un restaurant de fruits de mer typiquement cubain. La terrasse (où il faut payer en pesos) est agréable et l'ambiance, tout ce qu'il y a de plus local. Le poisson est à l'honneur ici, mais, comme pour tous les restaurants exclusivement cubains, le menu dépend de l'approvisionnement.

Club 21
$
12h à 24h
Calle 21, entre Calle N et Calle O
☎*32-9602*
Le Club 21 propose un menu créole dans une ambiance agréable. Prenez garde à l'air conditionné qui tient la température des lieux à quelques degrés à peine au-dessus du point de congélation: prévoyez des vêtements chauds si vous mangez à l'intérieur.

El Mandarín
$
12h à 23h
Calle 23, angle Calle M
☎*832-0677*
El Mandarín est un restaurant chinois dont semblent raffoler les Cubains si l'on en juge par les longues files qui s'étirent dans les escaliers qui mènent de la rue à l'étage. C'est un autre endroit où l'on doit payer en pesos.

Restaurante Pekín
$
12h à 22h
La Rampa, entre Calle 12 et Calle 14
Situé au bout de La Rampa, près de l'entrée du Cementerio Cristóbal Colón, ce restaurant semble avoir la faveur populaire. On y sert des mets chinois payables en pesos. Il est possible d'y faire un bon repas pour moins d'un dollar.

Cinecitta
$
12h à 24h
La Rampa, angle Calle 12
Restaurant familial, le Cinecitta propose des mets italiens à la cubaine. Les spaghettis sont plus que corrects. Il faut souvent attendre un peu avant d'avoir une table, mais l'effort en vaut la peine. Bon endroit pour prendre une bouchée en sortant du Cine Chaplin.

Doña Yulla
$
12h à 23h
Calle San Lázaro, angle Calle Infanta

Ce petit restaurant offre des repas pour quelques pesos. La nourriture y est excellente, et c'est une bonne adresse pour s'offrir une bière et rencontrer des gens. Plusieurs étudiants étrangers y prennent leurs repas. On retrouve des restaurants de la chaîne Doña Yulla dans plusieurs quartiers de La Havane.

Los Amigos
$
Calle M, entre Calle 19 et Calle 21

Le *paladar* Los Amigos est situé de biais avec l'Hotel Victoria. Ce restaurant familial se cache au bout d'une petite allée qui mène à la partie arrière de la maison. Il est généralement très fréquenté par la population locale, et il faut parfois attendre quelques minutes avant d'obtenir une table. La cuisine créole se révèle succulente, les portions sont généreuses, et les prix défient toute compétition! Voilà un excellent endroit pour échapper à l'affluence des touristes si vous avez envie d'échanger avec les Havanais.

La Carreta
$
12h à 24h
angle Calle 21 et Avenida K
☎*832-4485*

La Carreta est un petit restaurant sans prétention en plein cœur du Vedado. En soirée, l'animation est confiée à des musiciens. La nourriture est typiquement cubaine, c'est-à-dire composée de l'habituelle combinaison alimentaire de riz, haricots, poulet et salade. Pour les petits budgets, la porte d'à côté donne sur une *cafetería* qui propose un menu limité de sandwichs jambon-fromage, par ailleurs délicieux. Il ne vous en coûtera qu'un seul dollar par sandwich (en fait les sandwichs sont payables en pesos et les consommations en dollars). Attention à l'air conditionné qui peut parfois vous figer sur place.

La Roca
$-$$
12h à 16h et 20h à 1h
Calle 21, angle Calle M
☎*33-4501*

Dans cet établissement ouvert depuis 1956, la décoration reflète de façon éclatante ce style moderne un peu kitsch des années 1950. On y sert une cuisine internationale et de fruits de mer dans une salle aux grandes vitres teintées de multiples couleurs. Les langoustes et les crevettes sont extrêmement fraîches puisqu'elles proviennent d'un aquarium installé dans le restaurant. La carte des vins demeure plus qu'honnête. En 2003, on a installé une estrade pour les musiciens qui donnent leur spectacle tous les soirs.

La Casona de 17
$-$$
12h à 24h
Calle 17 nº 60, entre Calle M et Calle N
☎55-3136
Aménagé dans une splendide demeure construite en 1921 et qui aurait, au dire du directeur de l'établissement, appartenue au parrain de Fidel, l'établissement se spécialise dans le poulet. Il y a à l'étage une belle terrasse d'où l'on peut regarder les gens passer tout en dégustant un plat exquis. Des barbecues sont servis dans le patio.

Mesón de la Chorrera
$-$$
11h à 24h
Calle Calzada nº 1252, angle Calle 20
☎832-4521
Juste à côté du restaurant 1830 (voir plus bas), et sous la même direction, la Mesón de la Chorrera sert une nourriture créole dans une ambiance difficilement surclassable. Le restaurant s'est installé au premier étage du Castillo de la Chorrera, ouvrage défensif érigé au XVIIe siècle pour garder l'entrée de la petite baie dans laquelle se jette le Río Almendares. Dans la salle à manger, on a gardé les canons qui pointent toujours leurs bouches menaçantes à travers les meurtrières. À l'extérieur, au pied du fort, une plaisante petite terrasse a été aménagée.

El Conejito
$$
Calle M, angle Calle 17
☎832-4671
Parmi les restaurants traditionnels du Vedado, El Conejito se présente comme une reproduction d'un pub anglais du XVIe siècle. On y sert, comme son nom l'indique en espagnol, des plats à base de lapin.

La Torre
$$
Calle 17 nº 155, angle Calle M
☎55-3089
La vue panoramique qu'offre le restaurant La Torre est stupéfiante. Situé au 33e étage de la tour FOCSA, l'établissement vaut le détour pour son point de vue et pour la cuisine internationale qui y est apprêtée. La carte des vins est impressionnante. Allez y prendre l'apéro ou un café!

Castillo de Jagüa
$$
19h à 2h, fermé lun
Calle 23, angle Avenida G
Le bar-restaurant Castillo de Jagüa est un sympathique établissement où l'on savoure de la cuisine cubaine et internationale. Une clientèle jeune et universi-

taire s'y retrouve dans un décor sans prétention.

1830
$$
Calle Calzada n° 1252
☎*34-504*
Situé à l'embouchure du Río Almendares, à l'extrémité ouest du Malecón, le restaurant 1830 offre un décor enchanteur de bord de mer. Son architecture extravagante de pierres s'intègre à un aménagement paysager à l'image des jardins japonais: terrasses, fontaines, ponts, rien n'a été laissé de côté pour que vous vous retrouviez dans un véritable conte de fées. La cuisine créole du 1830 est acceptable, et vous arrêterez sans doute votre choix sur les fruits de mer. Somme toute, une ambiance extraordinaire et un décor enchanteur caractérisent ce restaurant.

Monseigneur
$$-$$$
tlj 12h à 2h
Calle 21, angle Avenida O
☎*32-9884*
En face de l'Hotel Nacional se trouve le Monseigneur, un restaurant d'État spécialisé dans la cuisine internationale et de fruits mer. En ce qui concerne les produits marins, n'hésitez pas à essayer les crevettes fraîchement pêchées, un vrai délice! Les prix demeurent raisonnables.

Miramar

Voir plan p 141.

Miramar possède de très bons restaurants, mais qui se révèlent généralement assez chers.

⚓ Vistamar
$
12h à 24h
Avenida 1, entre Calle 22 et Calle 24
☎*203-8328*
Paladar intéressant, le Vistamar offre une magnifique vue sur la mer. L'endroit est chaleureux et la nourriture délicieuse. Idéal pour ceux qui recherchent une ambiance familiale pour leur repas.

Dos Gardenias, Gambinas, Shangai
$$
12h à 24h
Avenida 7, angle Calle 26
☎*204-2353*
Tout près d'El Aljibe (voir ci-dessous) se trouve une grande maison des années 1940 qui regroupe sous son toit ces trois restaurants. Le premier sert une nourriture créole dans un beau patio; le deuxième est un restaurant italien à saveur napolitaine avec ses nappes à carreaux rouges et blancs; et le troisième, on s'en doute, propose un menu chinois. Les trois sont très bien et semblent fréquentés par les touristes de passage.

Le Sélect
$$
12h à 24h
Avenida 5, entre Calle 28 et Calle 30
☎*204-7410*
Installé dans une très belle
maison de la fin des années
1940, Le Sélect, à l'arrière
de la *tienda*, propose un
menu international digne
des meilleurs palais. La
clientèle peut utiliser la
piscine.

Quinta y 16
$$
12h à 24h
Avenida 5, angle Calle 16
☎*204-7974*
Servant une cuisine créole
et internationale sur une
belle terrasse d'où l'on peut
voir tout ce qui se passe autour des fourneaux, le
Quinta y 16 est un des endroits les plus agréables de
Miramar. Et, si vous êtes
fumeur, un comptoir de
cigares vous y attend.

El Aljibe
$$
tlj 12h à 24h
Calle 7, entre Avenida 24 et Avenida
26
☎*204-7231*
El Aljibe propose un excel-
lent menu *criollo*. Les touris-
tes et la haute société cu-
baine se retrouvent ici sous
des toits de chaume pour
déguster des spécialités à
base de poulet. Le service
est irréprochable, et la qua-
lité des mets ne laissera
personne indifférent.

🦀 Don Cangrejo
$$-$$$
12h à 24h
Avenida 1, entre Calle 16 et Calle 18
☎*204-4169*
Donnant directement sur la
mer, le Don Cangrejo est un
très bon restaurant de fruits
de mer. La vue qu'il offre
sur l'horizon mérite qu'on
s'attable à l'étage. La cave à
vins est adéquate, et, pour
le prix, il serait difficile de
trouver mieux. Les clients
peuvent se baigner dans la
piscine.

La Maison
$$-$$$
12h à 1h
Calle 16 n° 701, angle Avenida 7
☎*204-1543*
La mode semble depuis
quelques années se tourner
vers les grandes maisons
des riches bourgeois des
années 1940 transformées à
la fois en *tiendas*, restau-
rants et bars. La Maison est
sans conteste le plus no-
toire des établissements de
ce genre. Celui-ci est toute-
fois   plus connu
pour ses défilés de mode
que pour sa nourriture,
plutôt ordinaire.

🦜 El Tocororo
$$$
Calle 18, angle Avenida 3
☎*204-2209 ou 204-4530*
El Tocororo est un restaurant original à tous points
de vue. Portant le nom de
l'oiseau national cubain,
l'établissement présente un
décor extravagant qui mé-

lange ambiance tropicale, graffitis et faux *tocororos*. Le menu est tout aussi original, et l'attention portée à la cuisine est exceptionnelle. Cependant, l'endroit n'est pas à la portée de toutes les bourses, et, de ce fait, l'essentiel de sa clientèle cubaine se recrute parmi l'élite.

Les connaisseurs de sushis trouveront enfin un endroit où se satisfaire. En effet, le salon **Sakura** du Tocororo propose un menu japonais, une première pour ces délices asiatiques à La Havane.

La Ferminia
$$$
Avenida 5 n° 8807, entre Calle 182 et Calle 184

☎ *204-6555*

La Ferminia est non seulement l'un des meilleurs restaurants de Cuba, mais aussi l'un des plus beaux. Cette ancienne résidence privée a été transformée en restaurant, et ses nombreuses pièces ont été reconverties en salons privés pouvant accueillir de 10 à 30 personnes. Ces salons sont décorés de meubles Louis XV et aussi de mobilier en *caoba* (acajou), un bois précieux que l'on retrouve à Cuba. À l'extérieur, trois terrasses offrent au gastronome le choix de l'ambiance qui lui

convient. Ce restaurant sert aussi d'école d'hôtellerie gastronomique, aussi le service est-il excellent et courtois. Les grillades mixtes, les viandes et les fruits de mer constituent les spécialités de la maison. Le maître d'hôtel se fera un plaisir de vous faire visiter les lieux.

La Cecilia
$$$
Avenida 5 n° 11010, entre Calle 110 et Calle 111

☎ *204-1562*

La Cecilia, parmi les meilleurs restaurants de cuisine créole à La Havane, porte le titre d'un roman de l'auteur cubain Cirilo Villaverde. L'entrée du restaurant arbore une flore tropicale exubérante. Au fond, la salle à manger se trouve sous deux chapiteaux de bois africains créant une ambiance calme et chaleureuse. Les fruits de mer et les plats *criollos* constituent les spécialités de la maison. La clientèle profite d'une excellente cave à vins et d'un très bon service. Le restaurant accueille un cabaret avec une très grande scène bordée de toutes parts par des arbres tropicaux *(3$; mer-lun; spectacles extérieurs dès 22h)*.

Le circuit d'Hemingway

Las Terrazas
$$$
Calle Real nº 161, entre Calle Río et
Calle Montaña, Cojimar
☎65-3471
Le village portuaire de Cojimar possède un excellent restaurant de fruits de mer: Las Terrazas, l'un des préférés d'Hemingway et de son capitaine Gregorio Fuentes, héros du *Vieil Homme et la mer*, qui le fréquentait les midis. En ce qui concerne les fruits de mer, la paella préparée au four et servie dans son jus mérite d'être mentionnée.

Les parcs du Sud

Devant les chutes du jardin japonais du Jardin botanique se trouve le **Restaurante Ecológico** *($$)*. La cuisine végétarienne règne en maître sur cette agréable terrasse qui promet un peu de fraîcheur par temps chaud. Cependant, la qualité de la table est plutôt inégale compte tenu du prix. Vous opterez peut-être pour le **Restaurante El Ranchón** *($$)*, où l'on sert un buffet créole dans une belle maison rustique comme ces constructions qui servent au séchage des feuilles de tabac, coiffées d'un toit de feuilles de palmier. Ce restaurant se trouve dans une forêt de pins, une caractéristique de la flore cubaine, mais une essence rare dans les Caraïbes.

Les plages de l'Est

Voir plan p 171.

À peu de distance de la capitale, Las Playas del Este demeurent le lieu de rendez-vous des Havanais pendant les fins de semaine et surtout en juillet et en août, soit durant les vacances scolaires. Vous verrez, le long des plages, des toits de chaume utilisés comme abris temporaires où l'on sert boissons et nourriture. Les prix varient souvent selon le décor. Les restaurants proprement dits, quant à eux, sont situés dans la zone hôtelière de Santa María del Mar et dans le village de Guanabo.

Pizzería Mi Rinconcito
$
12h à 21h30
Avenida de Las Terrazas, Santa María del Mar
☎97-1361
Dans une petite salle à manger climatisée et sur une terrasse donnant sur la plage, la Pizzería Mi Rinconcito propose, en plus des pizzas, de bons plats de pâtes à prix modiques et du poisson, un peu plus cher. Si l'endroit est intime et assez chic, il faut faire

Restaurants

preuve de patience, car le service est un peu lent.

La Parrillada Costarenas
$
12h à 21h30
Avenida de Las Terrazas, Santa María del Mar

Le plus sophistiqué des restaurants du complexe touristique Villas Los Pinos, La Parrillada Costarenas propose une carte variée, sert des plats copieux et offre un service attentif. Vous trouverez une table de billard à l'étage ainsi qu'un petit balcon qui donne sur la mer pour prendre l'apéro.

Paladar Piccolo
$
12h à 24h
Avenida 5, entre Calle 502 et Calle 504, Guanabo
☎96-4300

Ne vous laissez pas tromper par le décor un peu kitsch du Paladar Piccolo. On y sert d'excellentes pizzas arrosées d'un filet d'huile d'olive ainsi que des plats de pâtes à l'italienne, cuisinés par un chef d'origine grecque. Le jardin d'où proviennent la laitue et les tomates se cache derrière cette maison aux couleurs éclatantes.

El Brocal
$
12h à 24h
Avenida 5, angle Calle 498, Guanabo
☎96-2892

Construite dans les années 1930, la maison en bois où s'est installé le restaurant El Brocal ressemble aux demeures que l'on retrouve partout dans les Caraïbes. Après une restauration soignée, elle fut déclarée patrimoine historique de la ville. On y propose un choix de quatre menus plus ou moins mexicains, à prix abordable. On mange en salle ou sur la véranda spécialement aménagée. Beaucoup de monde en saison.

Guanabo Club
$
Calle 468, entre Calle 13 et Calle 15
☎87-2884

Au sommet de la colline de Guanabo, le Guanabo Club offre un très beau point de vue sur la petite ville et la mer. La clientèle est surtout composée de militaires cubains en vacances, puisqu'un de leurs camps de repos avoisine le restaurant. L'ambiance est détendue en début de soirée, mais elle s'anime plus tard avec l'ouverture de sa discothèque, très fréquentée par le tourisme international.

La Havane

est la capitale culturelle de l'île de Cuba, et elle a tout ce qu'il faut pour satisfaire les désirs des visiteurs.

Son urbanité et sa position dans le monde latino-américain en font un endroit de choix pour tout ce qui touche à la culture. Les choses bougent rapidement à La Havane. Pour savoir ce qui se passe en ville, vous pouvez consulter le journal *Cartelera*, hebdomadaire offert gratuitement dans la plupart des grands hôtels, ou encore vous brancher sur Radio Taino 93,3, tous les jours entre 17h et 19h, pour son programme culturel bilingue (espagnol-anglais). Vous aurez ainsi toute l'information nécessaire.

Événements

Les festivals les plus importants de La Havane sont le Festival international de cinéma latino-américain, qui se tient au mois de dé-

cembre, et le Festival international de jazz, qui, quant à lui, a lieu durant la première semaine de décembre.

Le **Festival international de cinéma latino-américain de La Havane** est, depuis sa mise sur pied en 1979, un lieu d'échanges et de rencontres privilégié pour les cinéastes et les cinéphiles. Articulé autour de la cinémathèque de La Havane, le Cine Chaplin, il présente durant trois semaines une batterie de nouvelles productions tout en faisant place à certaines rétrospectives. Toute l'Amérique latine s'y expose et s'y retrouve.

Le **Festival international de jazz de La Havane** se tient en même temps que le Festival international de cinéma latino-américain. Toutes les salles de la ville sont alors remplies pour entendre ce que le jazz cubain a de mieux à offrir. Depuis plusieurs années, des artistes internationaux ont pris l'habitude de venir s'y produire, ce qui ajoute beaucoup à l'effervescence de la ville en ces jours bénis. Les prix d'entrée sont relativement élevés, et le festival s'adresse certainement à une élite, mais il s'agit là d'un rendez-vous à ne pas manquer pour les amoureux de la musique cubaine et du jazz en général.

Chaque année, les organisateurs du Festival international de jazz déploient tous les efforts pour permettre à un nombre impressionnant d'artistes provenant de partout dans le monde de se produire sur une des nombreuses scènes. Plusieurs personnalités offrent même leurs talents gratuitement pour le seul plaisir de participer à cet événement. La programmation du festival laisse place à la spontanéité. Le spectacle de clôture réserve aux amateurs de sensations fortes de véritables moments magiques, résultat de généreux échanges entre les grands jazzmen de ce monde regroupés sur la grande scène du Teatro Nacional en présence du célèbre Chucho Valdés.

Deux autres festivals méritent une mention: le **Festival de la Guaracha**, un festival de musique traditionnelle qui a lieu au mois de novembre, et le **Festival international de folklore de La Havane**, qui se tient en mai.

La Havane a aussi son **Carnaval**. Il se tient dans les deux dernières semaines de juillet et dans les premières semaines d'août, et se déroule autour du Prado et le long du Malecón. Abandonné durant les premières années de la «Période spéciale», il est maintenant revenu en force. Son élément le plus intéressant est la procession des *comparsas*, les ensembles dansants traditionnels, accompagnés de musique percussive qui s'inspire des rythmes africains. Musique, couleurs, danses, chars allégoriques, il y a de tout pour tous.

Activités culturelles

La Casa de las Américas
10h à 22h
Calle G, angle Calle 3, Vedado
☎55-2706
La Casa de las Américas présente régulièrement des expositions d'œuvres d'artistes latino-américains et organise des colloques sur des sujets touchant à la culture cubaine et hispano-américaine. C'est un des centres de diffusion de la culture cubaine les plus importants de la ville, et tout le monde y est bienvenu.

L'Alliance Française
Calle G n° 407, entre Calle 17 et Calle 19
☎33-3370
Cette institution présente des films et des conférences sur différents sujets ne touchant généralement que de loin à la culture de La Havane, mais il s'agit d'un endroit agréable pour lire un journal de langue française et se reposer un peu.

Bars et discothèques

La vieille ville

La vieille ville et le secteur du Parque Central sont les meilleurs endroits où se rendre pour entendre la vraie musique cubaine. Partout sur les terrasses, dans les cafés, les hôtels et les restaurants, des groupes de musiciens partagent leur amour des rythmes de l'île. Il n'y a qu'à suivre la musique et laisser ses oreilles décider de l'établissement où s'arrêter.

Bar Monserrate
11h à 3h
Avenida de Bélgica (Monserrate), angle Calle Obrapía
Un bar qui propose une gamme complète de cocktails. Vous pourrez écouter la variété musicale d'un des nombreux groupes qui s'y produisent, et ce, dans une ambiance trépidante.

Café O'Reilly
10h à 1h
Calle O'Reilly n° 203, entre Calle Cuba et Calle San Ignacio
Le balcon à l'étage de ce vieux café domine la rue O'Reilly. Le petit groupe de musiciens à demeure joue à la demande des clients.

Café del Oriente
12h à 24h
Calle Oficios, angle Calle Amargura
☎60-2917
Ce café-restaurant s'avère le plus chic de la vieille Havane. Allez-y pour le décor et les serveurs, qui portent toujours la veste noire et le nœud papillon, car le verre de rhum est le plus cher en ville.

Sorties

Le Prado
et le Parque Central

Bacardí Bar
lun-sam 8h à 20h
Edificio Bacardí
Avenida de Bélgica (Monserrate),
entre Calle Progreso (San Juan de
Dios) et Calle Empedrado
☎62-9271
Vous trouverez dans le bel
édifice Bacardí un petit bar
agréable pour prendre un
verre et admirer le hall
d'entrée (restauré).

Castillo de Farnés
24 heures sur 24
Calle Monserrate n° 582, angle Calle
Obrapía
Ce bar vieillot et populaire
donne sur la rue. Selon la
légende, c'est ici que le Che
célébra la victoire de la
conquête de La Havane.

La Lluvia de Oro
*lun-jeu 8h à 1h, ven-dim 8h à
3h*
Calle Obispo, angle Calle Habana
☎62-9870
Ce grand bar ouvert sur la
rue s'avère très fréquenté,
autant par les touristes que
par les Cubains.

Roof Garden Bar
mar-dim 6h à 2h
Hotel Inglaterra
Paseo de Martí (Prado), angle Calle
San Rafael
☎60-8595
Ne vous laissez pas décou-
rager par le hall d'entrée un
peu rébarbatif de cet ancien
établissement. Montez

plutôt à la terrasse du bar
du 4e étage pour la vue et
la tranquillité. Le soir arrivé,
les groupes de musiciens
partagent leur amour des
rythmes de l'île.

Le Vedado

Le Vedado, quant à lui, est
mieux préparé pour ac-
cueillir les fervents de jazz
cubain ou de salsa moder-
ne.

Copa Room
25$
Hotel Riviera
angle Paseo et Malecón, Vedado
☎33-4051
Si la salsa vous intéresse, il
faut vous rendre au Copa
Room, anciennement connu
sous le nom de Palacio de
la Salsa. Installé au sein de
l'hôtel Riviera, il présente
divers spectacles de variétés. La programmation
variant régulièrement,
n'hésitez pas à téléphoner
pour vous mettre au cou-
rant des dernières représentations.

Habana Café
Hotel Meliá Cohiba
Le Habana Café est très
populaire et propose de la
musique que vous appré-
cierez sans aucun doute.
Une soirée mémorable pour
ceux qui savent apprécier
les rythmes cubains!

L'une des adresses les plus
chaudes pour la salsa en ce

moment est le **Café Cantante** du Théâtre national de Cuba *(droit d'entrée; angle Paseo et Calle 39, près de la station de bus, ☎33-5713).*

Pour ceux qui préfèrent le jazz à la salsa, il y a deux excellents endroits au Vedado.

La Zorra y el Cuervo
5$
tlj 21h à 3h
Calle 23 n° 155, entre Avenida N et Avenida O
☎66-2407
La Zorra y el Cuervo présente chaque soir des musiciens réputés et de nouveaux talents. Descendez simplement le petit escalier qui fait office d'entrée, et vous tomberez immédiatement dans l'univers intime du jazz latin. Bien que les spectacles débutent à 21h, il faut patienter deux bonnes heures pour que l'ambiance commence réellement à échauffer les esprits.

Jazz Café
entrée libre
tlj 21h à 3h
Avenida 1, angle Paseo
Établissement agréable et aéré, le Jazz Café est situé au deuxième étage de la Galería de Paseo, ce centre commercial établi à quelques pas de l'hôtel Meliá Cohiba. Les groupes qui s'y produisent sont excellents, et l'ambiance se veut décontractée. Sans aucun doute une bonne adresse.

Miramar

Si vous avez l'âme romantique, vous serez ravi de vous retrouver au **Dos Gardenias** *(Avenida 7, angle Calle 26)*, où l'on présente des chanteurs de boléro, cette musique langoureuse qui enflamma le cœur des Latino-Américains pendant les années 1940 et 1950. Le Dos Gardenias verse dans le kitsch, et, entre deux chansons romantiques, vous ne pourrez sans doute vous empêcher d'esquisser un sourire ou deux. L'établissement dispose d'une petite salle plutôt intime, **El Salón del Bolero**, idéale pour les romantiques. Amours perdus et reconquis, jalousies et passions cachées: *toda la noche cabe en un bolero* (toute la nuit tient dans un boléro). À partir de minuit, la *descarga* commence, chanteurs et musiciens se joignant au groupe invité.

Salón Rosado Benny More
10$
22h à 4h
Avenida 41, angle Calle 46, Playa
☎29-0985 ou 23-5322
Il semble que ce soit le meilleur endroit où danser, non seulement pour Miramar mais pour toute La Havane. L'établissement possède une immense terrasse où se rendent les Cubains pour se déhancher au son de la meilleure salsa moder-

Sorties

ne en ville, jouée par les meilleurs groupes du pays.

Havana Club
10$
Hotel Comodoro
angle Calle Mar et Calle 84, Miramar
☎*22-5511*

La seule super-discothèque à la mode de La Havane se trouve à l'Hotel Comodoro. Le Havana Club offre une ambiance électrisante tous les soirs, et, si vous voulez sortir ne serait-ce qu'une fois dans une boîte lors de votre séjour, c'est le meilleur endroit. De nombreux Cubains et Cubaines attendent à la porte pour qu'on les y invite. Les gays s'y réunissent en grand nombre les lundis soir.

Tropicana
50$
angle Calle 72 et Avenida 45

Dans le quartier de Marianao, le Tropicana propose sans conteste le plus spectaculaire et le plus renommé des spectacles de cabaret de toute l'île de Cuba. Malgré un prix d'entrée prohibitif, vous ne serez pas en reste avec le spectacle chaud et haut en couleur qu'on y présente. Sur une scène à ciel ouvert, les meilleurs danseurs vous entraîneront dans un tourbillon de plumes et d'exotisme.

Les plages de l'Est

Guanimar
droit d'entrée
jeu-dim 21h à 2h
Avenida 5, entre Calle 466 et Calle 468, Guanabo

Une fois la nuit venue, la région des plages ne dispose pas de nombreux cabarets où sortir. Pour une soirée de détente, nous vous proposons le Guanimar, un bon endroit où l'on présente souvent des spectacles de salsa.

Arts de la scène

La vieille ville

Iglesia y Convento de San Francisco de Asís
Calle Oficios, entre Calle Amargura et Calle Brasil

L'église se transforme en salle de concerts pour musique religieuse ou de chambre, ou encore pour accueillir des orchestres à cordes. Vous pourrez aussi visiter l'exposition permanente des objets trouvés lors de l'excavation de l'église. Rendez-vous sur place pour connaître la programmation.

Iglesia de San Francisco de Paula
Avenida del Puerto (San Pedro), angle Calle Leonor Pérez

Siège de la chorale de musique religieuse ancienne Ars Longa, l'église ouvre ses portes à de nombreux festivals l'année durant. Des œuvres de peintres cubains sont accrochées aux murs à l'intérieur de l'église. Rendez-vous sur place pour connaître la programmation.

Le Prado et le Parque Central

Teatro Variedades América
sam 20h30, dim 17h
Avenida de Italia (Galeano) n° 253
☎863-5695
Le «théâtre des variétés» propose des spectacles musicaux de groupes cubains de renommée nationale ou bien des spectacles humoristiques. Les jeudis *(à 21h)* sont les soirs de l'humour cubain avec le groupe Esquina de Mariconela, tandis que les samedis *(à 11h)* sont consacrés aux spectacles pour enfants. Les lieux sont le siège du Festival del Bolero ainsi que du Festival de Ballet.

Centro Andaluz de la Habana
Paseo de Martí (Prado), angle Calle Genios
Au siège de la Sociedad Andaluza en la Habana, le groupe Habana Flamenca, composé de cinq musiciens et de trois danseuses, présente des concerts de flamenco tous les mercredis, vendredis et samedis à 21h.

Gran Teatro de La Habana
Calle Paseo del Prado, angle Calle San Rafael
☎61-3078
En face du Parque Central, le témoin vivant de la riche tradition théâtrale et de ballet à La Havane est le Gran Teatro de La Habana. Ce magnifique théâtre est populairement connu comme le Teatro García Lorca, du nom de sa salle principale qui rend hommage au célèbre poète et dramaturge espagnol.

Le Vedado

Teatro Amadeo Roldán
Calle Calzada, entre Calle D et Calle E
☎832-0536
Ce théâtre est le siège social de l'orchestre symphonique de Cuba. Téléphonez ou rendez-vous sur place pour connaître la programmation.

El Sótano
Calle K, entre Calle 25 et Calle 27
☎32-0632
Les amateurs de théâtre voulant découvrir des œuvres cubaines contemporaines se donneront rendez-vous à El Sótano.

Guiñol
Calle M, entre Calle 19 et Calle 21
☎32-6262 ou 32-8292
Les enfants ne seront pas en reste au Guiñol, où ils pourront voir des spectacles de marionnettes.

Sorties

La Mella
Avenida 1, entre Calle 8 et Calle 10
La Mella accueille des spectacles de danse moderne et folklorique ainsi que de variétés.

Teatro Nacional de Cuba
Calle Paseo, angle Calle 39, Plaza de la Revolución
☎79-6011
Résolument moderne, le Teatro Nacional de Cuba présente des concerts de musique classique, des pièces de théâtre ainsi que des spectacles de variétés nationaux et internationaux. Ses murs accueillent l'orchestre symphonique de La Havane.

Sala-Teatro Hubert de Blanck
Calle Calzada, entre Calle A et Calle B, Vedado
☎30-1011
Au chapitre de la musique classique et contemporaine, la Sala-Teatro Hubert de Blanck propose de nombreux concerts de qualité.

Miramar

Teatro Karl Marx
Avenida 1, entre Calle 8 et Calle 10
☎23-0147 ou 30-5521
À Miramar, le Teatro Karl Marx se présente comme une très grande salle moderne accueillant des spectacles de variétés nationaux et internationaux.

Cinémas

Les Cubains sont friands de cinéma. Où que l'on aille à La Havane, on trouve des salles de cinéma. En général, on y présente des films cubains ou espagnols, ou des films hollywoodiens sans grand contenu.

Cine Chaplin
Calle 23 n° 1155, entre Calle 11 et Calle 12
☎31-1101
Cinémathèque de La Havane, le Cine Chaplin est un bon endroit pour ceux qui seraient en manque de bon cinéma. On y projette des films internationaux (deux représentations, à 17h et 20h, tlj sauf les mardis). C'est autour de ce cinéma que se déroule le Festival international de cinéma latino-américain de La Havane au mois de décembre.

Payret
tlj dès 12h30, ven-dim 24 heures sur 24
Paseo de Martí n° 503, angle Calle San José
☎863-3163
Située en face du Capitolio, la salle vétuste du cinéma Payret s'avère la plus grande de La Havane. Par conséquent, il faut souvent faire la queue. Tout comme au Yara (voir ci-dessous) on y présente les films les plus populaires qui proviennent d'un peu partout dans le monde.

La Rampa

Calle 23, entre Calle O et Calle P

Dans un confort des années 1950, la salle du cinéma La Rampa présente des films d'Amérique latine et de Cuba. Durant le festival de cinéma, c'est ici que vous verrez les films les plus obscurs.

Yara

Calle L, angle Calle 23

☎ 32-9430

Le plus renommé des cinémas de La Havane est situé à l'angle de la plus fameuse rue (La Rampa) de la ville, en face du parc Coppelia. Les plus grands succès d'un peu partout, même des États-Unis, y sont présentés.

Sport

Baseball

Le baseball est certainement le sport le plus suivi à Cuba, et La Havane ne fait pas exception. La ville a deux équipes qui s'affrontent régulièrement, mais ce sont les rencontres entre La Havane et Santiago de Cuba qui attirent les foules. Les matchs ont lieu à l'**Estadio Latinoamericano**, dans le Cerro; cet immense stade a une capacité de 60 000 places. Afin de savoir quand ont lieu les matchs, informez-vous à n'importe quel Havanais; peu d'entre eux l'ignoreront.

Le baseball de rue

Les *Habaneros* sont reconnus pour leur ingéniosité. Ainsi, afin de profiter de leur sport préféré dans les rues étroites de la ville, ils ont développé une façon tout à fait originale de jouer au baseball. Le nombre de joueurs ne semble pas suivre de règles prédéterminées, mais ce qui est sûr c'est que la balle se frappe avec la main ouverte, qu'il n'y a que deux buts, délimités par chacun des côtés de la rue, et qu'il faut marcher entre ceux-ci pour ne pas être automatiquement disqualifié. Si vous vous promenez dans les rues du Centro les fins de semaine, vous aurez certainement l'occasion de voir une partie de baseball urbain.

Achats

De plus en plus de boutiques ouvrent leurs portes, et les amateurs de magasinage, autrefois souvent déçus à La Havane, commencent à y trouver leur compte.

Quoi acheter? N'hésitez en aucun moment à jeter votre dévolu sur les cigares de marque dans les boutiques spécialisées. Pour la moitié du prix qu'ils sont ailleurs dans le monde, les cigares sont un achat sûr. Dans la rue, on vous offrira des cigares sur le marché noir. Dans 80% des cas, ces cigares ne sont pas authentiques et parfois non fumables! Un arrêt dans une boutique spécialisée vous assure d'acheter des cigares de qualité conservés dans des conditions idéales.

Cigares

La Casa Partagás *(Calle Industria nº 520, derrière le Capitolio)* propose une excellente sélection de cigares, et vous pouvez visiter l'usine. La plupart des grands hôtels de La Havane comportent des points de vente de cigares.

Boutiques exclusives

Pour les vêtements, La Havane (et Cuba en général) n'est pas le meilleur endroit si vous avez l'intention de

refaire votre garde-robe...
Cependant, quelques boutiques exclusives bordent l'allée centrale de l'**Hotel Sevilla**
(Calle Trocadero nº 55), près
du Paseo del Prado, dans la
vieille Havane.

Dentellerie

El Quitrín
angle Calle Obispo et San Juan, vieille
Havane
El Quitrín se présente comme un atelier de confection
de dentelles à la main. Aussi l'endroit vaut-il une visite
en soi pour le pittoresque
de ses employées ainsi que
pour la perfection et l'origi-
nalité de leur travail.

Haute couture cubaine

Dans le quartier de Mira-
mar, **La Maison** *(Calle 16,
angle Avenida 7, Miramar,
☎24-1543)* se spécialise
dans la mode. Vous y trouverez sans doute la meil-
leure sélection de sacs,
d'accessoires et de vête-
ments exclusifs de coutu-
riers cubains. On y présente
aussi des défilés de mode.
La **Marina Hemingway** abrite
aussi quelques boutiques
d'intérêt pour des vête-
ments d'été.

Artisanat

L'**artisanat** local est parfois
intéressant; on trouve notamment de belles sculptures en bois ou des pots en
céramique.

La vieille ville

Dans la vieille ville, vous
trouverez surtout de petites
boutiques spécialisées. Par
exemple, les 25 femmes de
la boutique **Hermandad de
bordadoras y tejedoras de
Belén** *(tlj 10h à 17h; angle
Calle Mercaderes et Calle
Obrapía)* confectionnent des
vêtements à la main. Vous y
trouverez des tricots, des
couvertures, des châles
brodés ainsi que les tradi-
tionnelles *guayaberas*. La
boutique **Aromas Coloniales
1791**, située sur la Calle
Mercaderes entre la Calle
Camparilla et la Calle
Obrapía, propose des par-
fums fabriqués sur place.

Le marché **Artesanía de Teniente Rey** *(lun-sam 9h à 18h,
dim 9h à 13h; Calle Teniente
Rey nº10, entre Calle Mercaderes et Calle Oficios)* présente
une variété d'articles à bon
prix. En plus des vêtements
et des céramiques, on y
trouve des poupées, des
masques et même des
attelages pour chevaux. La
plus grande concentration
d'étals se trouve à la **Plaza**

de la Artesanía, située sur la Calle Tacón en face du Parque Céspedes. Pour l'artisanat, les prix sont généralement un peu plus élevés que dans les marchés locaux. Cependant, si vous avez peu de temps, c'est un excellent endroit pour trouver des pièces de qualité. Tout près, le **Palacio de la Artesanía** *(Calle Cuba nº 64)* dispose d'une section complète dédiée à la musique (cassettes et disques compacts) et aux nombreux instruments typiques de la musique cubaine.

Le Centro

Face au Parque Central, dans l'édifice Manzana Gómez, vous trouverez **La Exposición** *(lun-sam 10h à 18h, dim 10h à 13h; San Rafael nº 12)*, une boutique qui vend des pièces d'artisanat local, entre autres des *guayaberas*, des *sombreros* et des éventails.

Le Vedado

Au Vedado, le célèbre marché de la Calle G a déménagé ses pénates vers le Malecón, entre les rues N et O sur la Calle 23. Du mardi au dimanche jusqu'au coucher du soleil, vous y trouverez de nombreuses pièces d'artisanat local. Vous croiserez aussi le marché des artisans de la Plaza de la Catedral, déménagé vers la mer, devant le Seminario San Carlos, et qui se tient tous les jours, sauf le dimanche. Les nombreux vendeurs proposent un vaste choix de produits artisanaux et de livres dans les rues adjacentes.

Enfin, un autre marché artisanal vient de s'installer au Vedado, à l'angle de la Calle D, entre la Calle 1 et la Calle 3. Le **Mercado D y Malecón** pratique des prix plus bas que les deux autres marchés mentionnés ci-dessus.

Galeries d'art

Comme le gouvernement cubain interdit l'exportation de son patrimoine culturel, si vous achetez une œuvre d'une certaine importance, comme un grand tableau par exemple, assurez-vous d'obtenir un certificat du Fondo de Bienes Culturales, à défaut de quoi l'œuvre pourrait être saisie à la frontière. À La Havane, le Fondo a ses bureaux à la Galería La Casona (voir ci-dessous).

Achats

Galería La Casona
lun-ven 10h à 16h, sam 9h à 14h
Calle Muralla n° 107 , angle Calle San Ignacio
☎62-2633 ou 61-2875

Dans la vieille Havane, la Galería La Casona est aussi le siège social du Fonds cubain des biens culturels. Cette galerie s'est installée dans une importante maison coloniale et fait la promotion et la vente d'œuvres cubaines, entre autres des sculptures, des céramiques et des peintures.

Galería Forma
Calle Obispo n° 255, entre Calle Cuba et Calle Aguiar, vieille Havane
☎62-2103

Estudio Galería Los Oficios
tlj 10h30 à 17h30
Oficios n° 166, entre Calle Teniente Rey et Calle Amargura
☎33-9804

En plus des œuvres du peintre sculpteur Nelson Domínguez, l'atelier propose des bijoux, des photos ainsi que des gravures de ses amis artistes.

Estudio Taller Renacimiento
tlj 10h à 17h
Obispo n° 360, entre Calle Habana et Calle Compostela
☎863-4829

Ce studio expose surtout des peintures à l'huile remémorant le perfectionnisme de Da Vinci et le surréalisme de Dalí. Le nu s'avère un thème récurrent.

Galería la Acacia
lun-sam 10h à 16h
Calle San José n° 114, entre Calle Industria et Calle Consulado, Centro Habana
☎63-9364

La Galería la Acacia se charge de commercialiser les œuvres des plus grands artistes cubains de tous les temps.

Au n° 458, sur le Paseo de Martí, vous trouverez la galerie **Origenes,** qui expose des œuvres de peintres havanais. On y vend aussi de l'artisanat et des souvenirs.

Dans le Vedado, les amateurs d'art contemporain latino-américain seront comblés à la **Casa de las Américas**. Dans l'enceinte du bâtiment de cet important organisme culturel cubain loge la **Galería de Arte Haydée Santamaría** *(2$; lun-ven 10h à 16h30; Calle G, angle Avenida 3, Vedado, ☎32-3587 ou 55-2710).*

La galerie **Ciudades del Mundo** *(Calle 25 n° 307)* se spécialise dans les œuvres dont le thème central aborde l'urbanisme et l'architecture de Cuba. Quant à la **Galería Habana** *(Calle Linea n° 460),* elle propose les nouvelles tendances de l'art contemporain telles qu'exprimées par les jeunes artistes cubains.

Centres commerciaux

Il faut savoir que, dans la majorité des grands magasins, il faut laisser tout sac, même les sacs à main, au *guardabosa* à l'entrée. Il vaut mieux récupérer ses cartes, passeport ou autres objets de valeur avant de remettre son sac au préposé. À la sortie, tous les produits que vous avez en main seront vérifiés avec votre facture. Il est habituel de laisser un pourboire au préposé du stationnement. Les cartes de crédit sont acceptées dans les plus grands centres, mais mieux vaut se munir de dollars surtout si on veut négocier.

Dans la vieille ville, **Harry Brothers** *(angle Calle O'Reilly et Calle Monserrate)* s'avère le plus ancien grand magasin du quartier. Vous y trouverez aliments, meubles et accessoires de cuisine, et même une boutique Benetton. Dans le Centro, **La Época** *(angle Avenida de Italia et Calle Neptuna)* de la chaîne TRD et le **Complejo Comercial Plaza Carlos III** *(angle Avenida S. Allende et Calle Retiro)* proposent à peu de chose près tout ce qui est nécessaire au quotidien. Le quartier de Vedado abonde de centres commerciaux. Vous y trouverez les **Galerias Cohiba** à l'angle de l'Avenida Paseo et de la Calle 1, le **Complejo Comercial Nacional** à l'angle de la Calle 21 et de l'Avenida N, et le **Complejo Comercial Habana Libre** dans l'hôtel du même nom.

Vêtements d'été, chaussures, nourriture, produits électroniques et électroménagers, vous trouverez tout cela au **Centro Comercial 5ta. y 42** *(Avenida 5, angle Calle 42, ☎24-0563)*, situé dans le quartier de Miramar. Il s'agit du plus grand centre commercial de La Havane, cependant très petit si on le compare à ceux auxquels nous sommes habitués. Il s'agit d'un excellent endroit pour faire ses courses, acheter du pain baguette frais, s'asseoir à l'une des cafétérias pour s'offrir une boisson ou une pizza, question de reprendre des forces avant de se laisser emporter de nouveau par la fièvre du magasinage!

Supermarchés

Des supermarchés ont ouvert leurs portes un peu partout à La Havane depuis la légalisation des devises américaines. Ils sont généralement ouverts du lundi au samedi de 9h à 17h et le dimanche de 9h à 12h. Voici une courte liste de ces établissements:

Achats

Mercado Bellamar
angle Calle Prado et Calle Dragones,
vieille ville
☎33-8328

Supermercado Amistad
angle Calle San Lázaro et Calle Infanta, Centro
☎33-5832

Mercado Carimar
Calle D n° 4, Vedado
☎33-3879

Supermercado 3ra. y 70
angle Avenida 3 et Calle 70, Miramar
☎24-2890

Marchés libres paysans

Parmi les réformes économiques des dernières années, l'une d'entre elles favorisa l'ouverture de marchés libres paysans à travers le pays. Appelés *mercados agropecuarios* ou plus simplement *agros*, ces marchés sont nombreux à La Havane, et tout s'y transige en monnaie nationale. Le choix est parfois limité, mais c'est cependant les meilleurs endroits pour se procurer des fruits et des légumes à des prix dérisoires. Ces marchés méritent d'être visités, question de plonger dans le quotidien des Havanais, hors des zones touristiques.

Dans la vieille ville, le **Mercado Libre Campesino** est situé sur la Calle Egido, entre la

Calle Corrales et la Calle Apodaca. Celui du Vedado se trouve à l'angle de la Calle San Lázaro et de l'Avenida M.

Le Barrio Chino (quartier chinois) est situé dans le quartier de Centro Habana. Vous y découvrirez un marché paysan typique. Cet *agromercado* possède le plus grand choix d'épices de toute La Havane. L'*agromercado* du quartier de Nuevo Vedado *(Calle Tulipán, près de l'Estación de Trenes 19 de Noviembre)* propose un choix inégal de fruits et légumes selon la saison. Il est malgré tout généralement bondé: une aubaine pour les chasseurs d'images.

Librairies et marchés de livres

Il est surprenant de trouver autant de marchés en plein air qui proposent des livres d'occasion, des premières éditions, des photos anciennes, des cartes postales et des collections de bagues à cigares. Le choix est parfois limité, mais étant donné le grand nombre d'endroits de ce genre, vous trouverez probablement le trésor que vous cherchez. Comme il est interdit de sortir à l'extérieur du pays certains livres rares sans avoir reçu au préalable une permission spéciale, il faut s'en assurer auprès des vendeurs, le cas échéant.

Le marché le plus intéressant demeure le **Mercado de libros de la Plaza de Armas** *(lun-sam 9h à 19h, fermé les jours de pluie)*. Plusieurs étals vous proposent des livres sur Che Guevara et la Révolution cubaine, des tracts politiques, des atlas, des encyclopédies, les romans de García Márquez et quelques livres en anglais.

Un grand nombre de librairies se trouvent dans la vieille ville dont certaine vendent des cassettes et des disques compacts. La **Librería Anticuaria 'El Navío'** *(tlj 9h à 19h; Calle Obispo, entre Calle Oficios et Calle Mercaderes)* loge dans un édifice du XVIe siècle et mérite une visite. On y vend entre autres des livres anciens, usagés ou rares, ainsi que des premières éditions, des cartes postales et des photos anciennes. Le mur original est en montre sous verre. L'**Instituto Cubano del Libro** *(tlj 10h à 18h; Calle O'Reilly, angle Tacón)* abrite trois librairies dont une s'adresse plus spécifiquement aux touristes avec ses guides et cartes postales, tandis qu'une autre vend des œuvres cubaines. **El Navegante** *(lun-sam 8h à 17h;*

Calle Mercaderes, entre Calle Obispo et Calle Obrapía) se spécialise dans les cartes topographiques marines et terrestres.

Deux librairies du Vedado méritent un détour. La **Casa de Las Américas** *(lun-ven 8h à 4h30; Calle 3, angle Avenida de los Presidentes)* propose entre autres des livres d'art, des cassettes et des disques compacts. Si vous n'avez pas eu l'occasion d'aller au cinéma et que les films cubains vous intéressent, vous les trouverez sur cassettes vidéo au **Centro Cultural Cinematográfico** (ICAIC) *(lun-sam 8h à 17h; Calle 23 n° 1155, entre Calle 10 et Calle 12)*.

Photographie

Plusieurs grands hôtels offrent le service de développement de films. Vous trouverez également, un peu partout en ville, plusieurs boutiques spécialisées dont la grande chaîne **Fotografía Trimagen**. Quelques-unes proposent les services de nettoyage et de réparation d'appareils numériques ou conventionnels (appareils photo et caméras vidéo), dont **Foto Galiano** *(☎33-8141)*, située sur la Calle Galiano, entre la Calle Reina et la Calle Salud.

Achats

Lexique

Quelques indications sur la prononciation de l'espagnol en Amérique latine.

CONSONNES

c   Tout comme en français, le *c* est doux devant *i* et *e*, et se prononce alors comme un **s**: *cerro* (serro). Devant les autres
voyelles, il est dur: *carro* (karro). Le **c** est également dur devant les consonnes, sauf devant le **h** (voir plus bas).

g   De même que pour le **c**, devant **i** et **e** le **g** est doux, c'est-à-dire
qu'il est comme un souffle d'air qui vient du fond de la gorge:
gente (hhente).

Devant les autres voyelles, il est dur: *golf* (se prononce comme
en français). Le **g** est également dur devant les consonnes.

ch   Se prononce **tch**, comme dans «Tchad»: *leche* (letche). Tout
comme pour le *ll*, c'est comme s'il s'agissait d'une autre lettre,
listée à part dans les dictionnaires et dans l'annuaire du téléphone.

h   Ne se prononce pas: *hora* (ora).

j   Se prononce comme le **r** de «crabe», un **r** du fond de la gorge,
sans excès: *jugo* (rrugo).

ll   Se prononce comme **y** dans «yen»: *llamar* (yamar). Dans certaines régions, par exemple le centre de la Colombie, **ll** se prononce comme **j** de «jujube» (*Medellín* se prononce Medejin).
Tout comme pour le **ch**, c'est comme s'il s'agissait d'une autre
lettre, listée à part dans les dictionnaires et dans l'annuaire du
téléphone.

ñ   Se prononce comme le **gn** de «beigne»: *señora* (segnora).

r   Plus roulé et moins guttural qu'en français, comme en italien.

s   Toujours **s** comme dans «singe»: *casa* (cassa).

v   Se prononce comme un **b**: *vino* (bino).

z   Comme un **z**: *paz* (pass).

VOYELLES

e Toujours comme un **é**: *helado* (élado) sauf lorsqu'il précède deux consonnes, alors il se prononce comme un **è**: *encontrar* (èncontrar)

u Toujours comme **ou**: *cuenta* (couenta)

y Comme un **i**: *y* (i)

Toutes les autres lettres se prononcent comme en français.

ACCENT TONIQUE

En espagnol, chaque mot comporte une syllabe plus accentuée. Cet accent tonique est très important en espagnol et s'avère souvent nécessaire pour sa compréhension par vos interlocuteurs. Si, dans un mot, une voyelle porte un accent aigu (le seul utilisé en espagnol), c'est cette syllabe qui doit être accentuée. S'il n'y a pas d'accent sur le mot, il faut suivre la simple règle suivante:

On doit accentuer l'avant-dernière syllabe de tout mot qui se termine par une voyelle: ***amigo***.

On doit accentuer la dernière syllabe de tout mot qui se termine par une consonne sauf ***s*** (pluriel des noms et adjectifs) ou ***n*** (pluriel des verbes): ***usted*** (mais ***amigos***, ***hablan***).

PRÉSENTATIONS

au revoir	*adiós, hasta luego*	je suis québécois(e)	*Soy quebequense*
bon après-midi ou bonsoir	*buenas tardes*	je suis suisse	*Soy suizo*
bonjour (forme familière)	*hola*	je suis un(e) touriste	*Soy turista*
bonjour (le matin)	*buenos días*	je vais bien	*estoy bien*
bonne nuit	*buenas noches*	marié(e)	*casado/a*
célibataire (m/f)	*soltero/a*	merci	*gracias*
comment allez-vous?	*¿cómo esta usted?*	mère	*madre*
copain/copine	*amigo/a*	mon nom de famille est...	*mi apellido es...*
de rien	*de nada*	mon prénom est...	*mi nombre es...*
divorcé(e)	*divorciado /a*	non	*no*
enfant (garçon/fille)	*niño/a*	oui	*sí*
époux, épouse	*esposo/a*	parlez-vous français?	*¿habla usted francés?*
excusez-moi	*perdone/a*	père	*padre*

frère, sœur	**bermano/a**	plus lentement s'il vous plaît	**más despacio, por favor**
je suis belge	**Soy belga**	quel est votre nom?	**¿cómo se llama usted?**
je suis canadien(ne)	**Soy canadiense**	s'il vous plaît	**por favor**
je suis désolé, je ne parle pas espagnol	**Lo siento, no hablo español**	veuf(ve)	**viudo/a**

DIRECTION

à côté de	**al lado de**	il n'y a pas...	**no bay...**
à droite	**a la derecha**	là-bas	**allí**
à gauche	**a la izquierda**	loin de	**lejos de**
dans, dedans	**dentro**	où se trouve... ?	**¿dónde está... ?**
derrière	**detrás**	pour se rendre à...?	**¿para ir a...?**
devant	**delante**	près de	**cerca de**
en dehors	**fuera**	tout droit	**todo recto**
entre	**entre**	y a-t-il un bureau de tourisme ici?	**¿bay aquí una oficina de turismo?**
ici	**aquí**		

L'ARGENT

argent	**dinero/plata**	je n'ai pas d'argent	**no tengo dinero**
carte de crédit	**tarjeta de crédito**	l'addition, s'il vous plaît	**la cuenta, por favor**
change	**cambio**	reçu	**recibo**
chèque de voyage	**cheque de viaje**		

DIVERS

beau	**bermoso**	large	**ancho**
beaucoup	**mucho**	lentement	**despacio**
bon	**bueno**	mauvais	**malo**
bon marché	**barato**	mince, maigre	**delgado**
chaud	**caliente**	moins	**menos**
cher	**caro**	ne pas toucher	**no tocar**
clair	**claro**	nouveau	**nuevo**
court	**corto**	où?	**¿dónde?**
court (pour une personne petite)	**bajo**	grand	**grande**
étroit	**estrecho**	petit	**pequeño**
foncé	**oscuro**	peu	**poco**
froid	**frío**	plus	**más**
gros	**gordo**	qu'est-ce que c'est?	**¿qué es esto?**
j'ai faim	**tengo bambre**	quand	**¿cuando?**

j'ai soif	**tengo sed**	quelque chose	**algo**
je suis malade	**estoy enfer-mo/a**	rapidement	**rápidamente**
joli	**bonito**	requin	**tiburón**
laid	**feo**	rien	**nada**
		vieux	**viejo**

LA TEMPÉRATURE

il fait chaud	**hace calor**	pluie	**lluvia**
il fait froid	**hace frío**	soleil	**sol**
nuages	**nubes**		

LE TEMPS

année	**año**	mardi	**martes**
après-midi, soir	**tarde**	mercredi	**miércoles**
aujourd'hui	**hoy**	jeudi	**jueves**
demain	**mañana**	vendredi	**viernes**
heure	**hora**	samedi	**sábado**
hier	**ayer**	janvier	**enero**
jamais	**jamás, nunca**	février	**febrero**
jour	**día**	mars	**marzo**
maintenant	**ahora**	avril	**abril**
minute	**minuto**	mai	**mayo**
mois	**mes**	juin	**junio**
nuit	**noche**	juillet	**julio**
pendant le matin	**por la mañana**	août	**agosto**
quelle heure est-il?	**¿qué hora es?**	septembre	**septiembre**
semaine	**semana**	octobre	**octubre**
dimanche	**domingo**	novembre	**noviembre**
lundi	**lunes**	décembre	**diciembre**

LES COMMUNICATIONS

appel à frais virés (PCV)	**llamada por cobrar**	le bureau de poste	**la oficina de correos**
attendre la tonalité	**esperar la señal**	les timbres	**estampillas/sellos**
composer le préfixe	**marcar el prefijo**	tarif	**tarifa**
courrier par avion	**correo aéreo**	télécopie (fax)	**telecopia**
enveloppe	**sobre**	télégramme	**telegrama**
interurbain	**larga distancia**	un annuaire de téléphone	**un botín de teléfonos**

LES ACTIVITÉS

musée ou galerie	*museo*	plongée sous-marine	*buceo*
nager	*nadar*	se promener	*pasear*
plage	*playa*		

LES TRANSPORTS

à l'heure prévue	*a la hora*	l'autobus	*el bus*
aéroport	*aeropuerto*	l'avion	*el avión*
aller simple	*ida*	la bicyclette	*la bicicleta*
aller-retour	*ida y vuelta*	la voiture	*el coche, el carro*
annulé	*annular*	le bateau	*el barco*
arrivée	*llegada*	le train	*el tren*
avenue	*avenida*	nord	*norte*
bagages	*equipajes*	ouest	*oeste*
coin	*esquina*	passage de chemin de fer	*crucero ferrocarril*
départ	*salida*	rapide	*rápido*
est	*este*	retour	*regreso*
gare, station	*estación*	rue	*calle*
horaire	*horario*	sud	*sur*
l'arrêt d'autobus	*una parada de autobús*	sûr, sans danger	*seguro/a*
l'arrêt s'il vous plaît	*la parada, por favor*	taxi collectif	*taxi colectivo*

LA VOITURE

à louer	*alquilar*	feu de circulation	*semáforo*
arrêt	*alto*	interdit de passer, route fermée	*no hay paso*
arrêtez	*pare*	limite de vitesse	*velocidad permitida*
attention, prenez garde	*cuidado*	piétons	*peatones*
autoroute	*autopista*	ralentissez	*reduzca velocidad*
défense de doubler	*no adelantar*	station-service	*servicentro*
défense de stationner	*prohibido aparcar o estacionar*	stationnement	*parqueo, estacionamiento*
essence	*petróleo, gasolina*		

L'HÉBERGEMENT

air conditionné	*aire acondicionado*	haute saison	*temporada alta*
ascenseur	*ascensor*	hébergement	*alojamiento*
avec salle de bain privée	*con baño privado*	lit	*cama*
basse saison	*temporada baja*	petit déjeuner	*desayuno*
chalet (de plage), bungalow	*cabaña*	piscine	*piscina*
chambre	*habitación*	rez-de-chaussée	*planta baja*
double, pour deux personnes	*doble*	simple, pour une personne	*sencillo*
eau chaude	*agua caliente*	toilettes, cabinets	*baños*
étage	*piso*	ventilateur	*ventilador*
gérant, patron	*gerente, jefe*		

LES NOMBRES

0	*cero*	23	*veintitrés*
1	*uno ou una*	24	*veinticuatro*
2	*dos*	25	*veinticinco*
3	*tres*	26	*veintiséis*
4	*cuatro*	27	*veintisiete*
5	*cinco*	28	*veintiocho*
6	*seis*	29	*veintinueve*
7	*siete*	30	*treinta*
8	*ocho*	31	*treinta y uno*
9	*nueve*	32	*treinta y dos*
10	*diez*	40	*cuarenta*
11	*once*	50	*cincuenta*
12	*doce*	60	*sesenta*
13	*trece*	70	*setenta*
14	*catorce*	80	*ochenta*
15	*quince*	90	*noventa*
16	*dieciséis*	10	*cien/ciento*
17	*diecisiete*	200	*doscientos, doscientas*
18	*dieciocho*	500	*quinientos, quinientas*
19	*diecinueve*	1 000	*mil*
20	*veinte*	10 000	*diez mil*
21	*veintiuno*	1 000 000	*un millón*
22	*veintidos*		

Index

Index

Index